郎咸平/著

郎咸平说

让人头疼的热点

东方出版社

图书在版编目(CIP)数据

郎咸平说:让人头疼的热点/郎咸平著. －北京:东方出版社,2013.9
ISBN 978－7－5060－6355－5

Ⅰ.郎… Ⅱ.郎…   Ⅲ.中国经济－研究   Ⅳ.TS971－49

中国版本图书馆 CIP 数据核字(2013)第 111269 号

郎咸平说:让人头疼的热点

作　　者:郎咸平
责任编辑:邓东文
出版发行:东方出版社
印　　刷:金龙印务有限公司
经　　销:新华书店
开　　本:710×1000mm　1/16
字　　数:360 千字
印　　张:15
版　　次:2013 年 9 月第 1 版　2013 年 9 月第 1 次印刷
书　　号:ISBN 978－7－5060－6355－5
定　　价:39.00 元

目 录

第一篇　让人头疼的国际经济风云

第二篇　让人头疼的改革热点

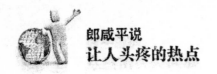
第三篇　让人头疼的金融改革

序言 "头疼医头"头更疼，
改革需要大手笔

一、内忧外患，这就是我们的现状

我们必须承认，这是一个多事之秋。

自2012年以来，中国经济领域"恶性"热点事件频发，造成这一现象的深层原因一方面来自国际政治、经济局势变化，另一方面则是源自中国经济自身的系统性危机。总结而言，就是外患与内忧并存。

首先，美国宣布"战略重心重返亚洲"是一切有关中国国际局势变化的开端。回顾2011年，美国先是宣布从伊拉克撤军，时任美国国务卿的希拉里·克林顿而后又在美国《外交政策》杂志上署名发表了文章《美国的太平洋世纪》，直言不讳地指出美国要在此后10年里，在外交、经济等领域加大对亚太地区的关注。这篇文章还针对中国发布了"预告片"：整个亚太地区的和平、安全对全球的影响越来越大，美国作为所谓的"世界警察"要盯住南海争端，以及朝鲜核扩散等问题。

以上是文章传达的基本信息。当然，我作为经济学家，在这篇文章里还看到了美国重返亚洲的另一层意图——寻找经济复苏引擎。希拉里在文章里强调："亚洲，特别是中国的经济能有现在的繁荣，是靠美国帮助实现的，所以现在中国也要帮助美国走出经济危机。"很荒谬是不是？但我认为这篇文章就是美国对华态度的浓缩——在军事上遏制，在经济上要对中国"剪羊毛"——美国认为中国经济之所以有今天的繁荣，离不开美国的辅助，是美国把中国经济这个"羊毛"养厚的，所以中国要回馈美国，帮助它实现经济复苏。换句话说，就是在经济层面上到了美国对中国"剪羊毛"的收获时期。

美国提出所谓的"重返亚洲"战略之后，旋即从各个领域对我们进行围攻。首当其冲的是经贸领域，美国为了在全球经济危机中实现复苏，提出"重塑制造业"，以制造业复苏拉动经济增长、缓解失业压力。为此，美国首先是联合欧洲国家在过去两年里对我们的贸易进行了无情的打击，具体表现就是对我们的光伏企业、钢铁企业等接连不断地发起"双反"调查，透过高关税降低"中国制造"的"廉价"优势，在保护欧美本土企业的同时，给我们的产业造成了巨大损失。其次，美国透过国际货币基金组织、世界银行这些国际组织向我们的人民币施加升值压力，进一步打击出口产品的"廉价"优势。这之后我们看到了什么？一向由美国把控的世界银行，新行长换成了"亚洲面孔"金墉，向全世界虚伪地展示美国对亚洲的"善意"。

美国选择的第二个领域就是透过地缘政治对中国实施遏制，这一次它的那些亚太战略支点国家——日本、菲律宾等悉数登场。所以我们看到了

2012 年 4 月菲律宾军舰在黄岩岛附近骚扰我们的渔船、渔民，引发黄岩岛风波，让自 2009 年就开始发酵的南海争端迅速升级，2013 年 4 月，美国更是明目张胆和菲律宾在它的吕宋岛搞联合军演；另外，2012 年 6 月，越南国会通过严重侵犯中国领土主权的《越南海洋法》；2012 年 9 月，日本政府上演"购买钓鱼岛"闹剧，引发钓鱼岛争端，同样是 2013 年的 4 月，美国国务卿克里在东京重申美国对于"协防日本的承诺"。这场美国鸣锣、助阵，日本、菲律宾几个国家轮番登场的海洋领土大战，在过去一年里牵扯了我们大量的注意力和精力。

坦白讲，美国"重返亚洲战略"确实在经贸和地缘政治上对我们产生了巨大的影响。而更加不幸的是，中国经济自身也深陷系统性危机。危机的源头可以分成远近两个——改革"开倒车"和不断出台大规模投资刺激计划。这两个远近原因，其本质就是"政府办市场"而不是"市场办市场"。先说近因，就是我反复批评的大规模投资计划。它的使命是用大规模投资拉动经济增速，方法是透过中央拨款、地方筹钱的方式大建"铁、公、基"，同时让商业银行向房地产等行业大量放贷，结果导致地方政府和房地产等企业背了一身债，且到了"大而不能倒"的地步，为什么？因为我们的商业银行已被它们绑架，构成了"一损俱损"的关系。

更可怕的是，我们的地方债实际上已经到了危如累卵的地步。前财政部部长项怀诚在 2013 年 4 月举行的博鳌论坛上说，我们的地方债现在有 20 万亿的水平，相当于 2012 年全年 GDP 的 38.5%。我要很残酷地告诉各位，这笔债已经压得我们的地方政府喘不过气来，而且极有可能拖累我们的银行

系统。我给各位举个例子，2012 年年底的时候，我们有 4 万亿规模的地方债务到期，可是地方政府只还了 1 万亿，我们的银行系统对剩下的 3 万亿都进行了展期，也就是同意让地方政府推迟还款。为什么？因为地方政府根本没钱还，而且连借新还旧的能力都没有。大规模投资计划的另一个严重后果就是"产能过剩"，我当时一再提醒社会，我们不能用"今天的产能过剩，来制造明天的产能过剩"。结果大家知道了吧，那就是不断加剧了"经济结构"的危机。

远因是我们的各方面改革停滞不前，如果说的严重一点，是在"开倒车"。坦白讲，发轫于 2008 年的这场全球经济危机对我们的影响，远比各位看到的要深远的多。为什么？2008 年是我们改革开放的第 30 年，在取得巨大经济发展的同时，我们的体制、社会、经济都出现了问题，也就是到了要"大修"的年份。这一年的"两会"上，我们的政府提出了国务院机构改革、税收改革、调整经济结构等议题，希望透过深化市场机制的方式"修理"已出现的"故障"。我在当年就大声疾呼：放弃保八、藏富于民。但是2008 年下半年席卷全球的经济危机打乱了改革的步调，政府在 2008 年 11 月推出"四万亿投资"计划。此后 4 年多的时间里我们看到，无论是要素市场，还是商品市场都在向着政府、国企靠拢，甚至可以说连续 30 年的改革开放"开起了倒车"：政府办市场。这与朱镕基时代的国企改革方略和 2008年"两会"的改革思路"背道而驰"。

"开倒车"的现象可以从体制和经济两方面看出来。首先是体制，2008年国务院机构改革的思路原本是"精简政府规模"、"转变政府职能"，具体而言是要政府减少对微观经济的管控和具体项目的审批，财政部完善预算、税收体制等。站在 2013 年的角度回顾，我们却看到了相反的效果，在关键市场要素领域里，仍然是政府在制定市场价格，不断加强垄断，为权力寻租提供了一个更优渥的温床，最终导致腐败犹如附骨之蛆透过体制框架渗透到了社会、经济的各个环节，推高民营企业营商成本与老百姓的生活成本。

经济改革"开倒车"是体制改革"开倒车"的必然结果，而它结出的果实则是"国进民退"。我以电力改革为例，截至 2012 年，我们的电改其实已经进行了 10 年。但我看到的是什么？我们的国家电网公司作为改组后的国企，它不仅没有按照电力改革方案中要求的厂网分离、输配分离、主辅分离去做，反而建起了自己的配电网络、发电厂等，一步步朝着行业巨无霸，同时也是垄断的方向走。2012 年 4 月，我们看到山东的魏桥电厂自建电网，以低于国家电网电价 25% 的价格向附近老百姓供电。这股来自市场的力量在遭遇"文斗"、"武斗"后，最终消失。

二、困兽之斗：内外交困下的民生经济

一个过分亲近政府的市场，会是什么样子？事实证明。我们的民企和老百姓都沦为了"二等公民"。

先说民营企业，它们主要集中在传统制造业，更具体来说就是附加值非常低的加工贸易。根据和讯网和数字 100 在 2012 年联合发布的中国民营企

业调查报告，我们的民营企业总数已经超过了 840 万家，占全国企业总数的 87.4%，对 GDP 的贡献率已超过 60%。但在 2008 年之后，我们的民营企业在外有欧美贸易打击、内有营商成本高企的情况下，纷纷撤出制造业。以我们制造业的风向标——温州为例，根据温州市统计局的披露，2012 年上半年整个温州新注册的企业数量同比下降了 17.7%。温州制造企业比较集中的鹿城区、瓯海区还有温州经济技术开发区这三个地方，它们的新企业注册数量同比下降了 26.8%、32.5% 和 30.3%。

在内忧外患的情况下，从制造业大量流出的民间资本要怎么保值、增值？根据我的观察，它们一小部分成为了民间借贷的本金，而更大的一部分流入了房地产市场。于是我们就看到过去 10 年间，我们的房价"一飞冲天"；而政府在此间推出的 43 次房地产调控政策无一可行。为什么？因为楼市的病根在制造业危机，更准确地说，就是民营企业没法生存。

这就演变成了一个关键命题，拯救制造业可以挽救我们糟糕的实体经济和房地产行业。具体怎么做？我认为关键切入点是营商环境的改善，而这里面最有效的办法应该是减税。2011 年上海率先试点营业税改征增值税；2013 年 4 月，国务院决定进一步扩大营业税改增值税的试点范围。但我要很不幸地告诉各位，我们的税改并没有让民营企业获得多少实惠。根据我的研究，上海营改增对于年营业额在 6 万元到 80 万的小企业基本没起到什么大的减税效果；80 万到大型企业之间，也就是所谓的中小型企业，基本没有得到任何实惠。那么最大的受益者是谁？是东方航空、海舶股份、锦江投资等国企或大型企业。

再说老百姓。2013年6月，"钱荒"席卷了我们的商业银行系统。为什么会有"钱荒"？浅显的说法是央行不肯像过去那样，在第一时间向银行系统注入流动性，导致商业银行手里缺钱。但是我们膨胀到100万亿的M2难道还不够市场流通使用吗？告诉各位，如果这笔金融资源是合理分配的，绝对绰绰有余。但现实是，因为大规模投资计划，以及信托等影子银行渠道，导致银行贷款大量流入"铁、公、基"建设项目、地方政府融资平台公司、国有大型企业，甚至是房地产开发商手里，结果是什么？资金一旦介入，短期内就很难回笼，甚至会出现坏账风险。在银根吃紧的时候，如果央行不出手救援，商业银行就会闹"钱荒"。

如此看来，"钱荒"是央行和商业银行之间玩的"把戏"，民营企业和老百姓很难参与其中，但由"钱荒"引发的恐慌和危机却是"全民共享"。什么意思？老百姓首先担心自己存在银行里的钱取不出来，同时担心作为中国股市权重股的银行系如果坍塌，自己必受池鱼之殃。这就是作为"二等公民"的悲哀，没有参与权，但必须承担后果。而且坦白讲，我们的老百姓在资产保值方面一贯是没有安全感的。

关于社会资产，我必须在这里和各位澄清一个普遍的误区，就是我们的普通老百姓真的没有传说中那么有钱。2012年6月，时任证监会主席的郭树清在陆家嘴金融论坛上说，中国的储蓄率是52%。但透过分析我们发现，我们的存款分布非常不平均，占人口90%的普通老百姓，平均每个人的存款其实只有7500元。作为世界第二大经济体的公民，大多数人的存款为什么这么少？因为：第一，没有足够的收入来源；第二，没有好的投资渠道是

专门面向普通老百姓，让他们实现钱生钱的。

在如此窘迫且残酷的情形下，我们迎来了股市改革。我过去反复强调过，美国政府透过打造健康的股票市场，让买股票的老百姓从中获益，实现"藏富于民"。那么我们的股市改革是怎么做的呢？我认为相对于创建完善的股市制度，我们的证监会更倾向于加重管束的力度。我必须要提醒我们的政府，在证监会本身能力有限的情况下，在不改变造成股市供需结构扭曲失衡制度的情况下，严管其实就是乱管。我们的股市需要的是什么？是能够让股票自由进退的有效机制，是能够彻底杜绝内幕交易、强制公司分红的长效机制等，只有这些政策才是真正有助于老百姓投资获益的。

股市长期熊市的另一个后遗症就是，我们的民间资本不顾一切地寻找投资机会。比如在全球金价暴跌时，老百姓希望透过"抄底"买入，实现资产的保值、增值。这个发生在2013年4月的戏剧性故事，媒体给它起了个响亮的名字，叫"中国大妈大战华尔街"。最终结果是老谋深算的华尔街做空黄金成功，而我们的很多老百姓用真金白银的代价，体验了一把国际投资大腕的操作水平。不过我更关注的是，国内金融市场上的"二等公民"们是否能收获一些投资经验；我们的政府是否真的只是在这件事上作壁上观，而没有从中得出什么有利于中国金融改革的新思维。

三、化险为夷：危机倒逼大手笔改革

要想收拾目前的"残局"，重启改革是唯一的出路。而且我要告诉各位，现在的我们已经错过了 2008 年时最好的改革窗口期，不要指望着"从容"改革，而要以"危机倒逼改革"的思路看问题。因为日益加重的经济、社会问题，已经把通往改革的路基挤压得很高、很窄。解决社会、经济、民生问题，已经到了刻不容缓的地步。

那么此时此刻的我们要怎么改革？我早在 2012 年 5 月出版的《中国经济到了最危险的边缘》一书中就说过，中国经济改革需要系统思维，应该以"市场的归市场，社会的归社会，政府的归政府"为基本指导原则。我注意到李克强总理在 2013 年全国人大会议上也说了类似的话。这两年频发的"恶性"热点事件，如果进行深度分析的话，就是政府没有把握好与市场和社会的界线，管了很多不该管且又管不好的事。我认为这应该是新一届政府的治国之"道"，而选择的"术"则只能是"让改革释放红利"，就是下放权力给市场和社会，而且我还认为，这是唯一的方法。本书依然坚持改革需要系统思维的观点，需要补充的是，在危机倒逼改革的今天，我们需要视野更开阔一点，眼光更长远一点。未来的改革需要的是大手笔，如果还是沿袭"头疼医头"的思维，结果只会让我们更头疼。

本文开篇说过，美国重返亚太是我们外部危机的直接原因。但从深层次看，这不仅是美国为寻求本国经济复苏引擎而向外部扩张的必然选择，而且也暴露了资本主义的系统性危机。我们都晓得，资本的本性是追逐利润，但在西方国家民主和社会福利制度已经成熟的情况下，资本只能以我在《新帝国主义在中国》一书中所说的跨国公司等各种方式向外部扩张，或者透过不断的金融创新透支未来，向未来扩张。2008 年的金融危机，正是这种

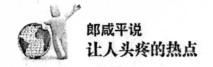
以扩张为本性的资本造成的系统性危机。

如今美国经济复苏的迹象确实越来越明显，但我们不应该忽视两个根本性的问题：一是美国经济的复苏以及未来的繁荣，对中国而言究竟意味着什么？二是资本主义体系不仅仅是美国一家，还包括欧洲和日本，但与美国截然相反的是，它们的现状和比较惨淡的前景，这对中国又意味着什么？简单地说，未来不但是资本主义系统性危机向全球继续蔓延扩张的时代，而且也是不同的经济体系剧烈冲突的时代，我们所面临的外部环境，调整的剧烈程度和复杂性，将远远超出我们的想象。只有看到这一点，我们才能深刻理解"危机倒逼改革"这六个字，才有可能将巨大的外部压力转换为改革的动力。

经济问题从来都不是孤立的，经济领域的所有问题，最终必然会向社会的每一个角落传染，结果要么是倒逼出一个大手笔的改革，要么是社会危机将中国经济从最危险的边缘推向万丈深渊。近年来，权力在经济活动中的"傲慢和偏见"使得自身经常错位和越位，而在民生和公共事务中，却习惯性缺位。主要表现在，发展经济过度依赖政府投资和货币刺激，管理经济"只会堵不会疏"，总是使用基本无效的行政干预手段，而很少使用从根本上解决问题的经济手段和法律手段；经济改革一直是"头疼医头"，鲜有深层次的结构性调整；整个社会中每个人的"一亩三分田"经营得都挺好，而教育、环境等问题，却"荒芜"一片。结果是整个社会的资源错配和效率低下，腐败盛行，贫富悬殊，"仇官"、"仇富"极端情绪蔓延，群体性事件频发。以上种种问题显然超出了经济范畴，也是经济改革无法解决的，但对经济的影响却是致命的。因此，我在这里所说的危机倒逼的改革，一定是经济改革、社会改革和政治改革并行。如果未来改革依然沿袭"政冷经热"，我认为那不过是"头疼医头"的翻版而已。

除了看得见的"内忧外患"危机，还有一场危机已经静悄悄地降临，那就是新的技术革命所带来的冲击。各位都晓得，世界历史上诞生于西方的两次技术革命，在助推西方国家率先进人现代化的同时，迅速地将中国推向落后国家之列。新中国成立至今，我们一直处于技术上追赶西方的转型阶段。但是今天，在全球化这个大平台上，我们面临的不仅是像微软和苹果这样的创新型企业，对我们传统企业或产业发起的攻城掠地；更严重的问题是，诸如本书中专门讨论的页岩气革命、全球自动化革命，以及最近被媒体炒得很热的3D打印机革命等技术革命，再一次发生了。遗憾的是，在这些技术前沿，我们又一次落后了。而落后的原因和前两次一样，不是我们中国人不聪明，而是我们缺乏技术创新的配套机制。美国之所以走在最前面，不仅仅是因为美国的科研力量雄厚，关键还是因为美国有一个健全的市场机制，在这个机制中，企业是转型和创新的主体，而政府在提供公共服务、保护知识产权方面做得又很到位。这就是我一再强调的"市场的归市场，社会的归社会，政府的归政府"。如果我们还只是把"改革"挂在嘴边而不动真格的，那么前两次工业革命给中国带来的悲剧，将来很可能还会重演。

在重启改革刻不容缓的现在，第一刀必须要落在要害上，我认为这个要害就是我们的制造业。我们是"世界工厂"，但这个名头随着营商成本的升高，正在离我们远去。经济危机爆发之后，欧美公司撤掉在中国的工厂重回

本国，或者到东南亚国家建工厂，这已经形成了一个潮流。很多美国公司关掉在中国的工厂后，回美国本土建厂，因为奥巴马政府在全球经济危机中启动了"重塑制造业"的战略，吸引大量本国企业回流。在同一时间段里，我们的政府则是透过"大规模投资"，以及《新能源产业振兴和发展规划》等政策，以粗放的直接"撒钱"注资的方法拉动投资，以及扶持陷入困境的大型国企、新兴产业。结果是传统制造业没有实现既定的升级目标，新兴产业比如光伏产业，也没能成为调整经济结构的顶梁柱。为什么美国政府的招数灵验了，而我们的没有？美国的战略其实非常简单，只提供有利于产业转型和创新的营商环境，而不会过多地干预市场、企业的决策行为。如此看来，只有政府"放手"才能盘活制造业，也才能释放出改革红利。

能源、原材料是振兴制造业的关键要素之一。以美国为例，它能实现制造业回流的关键原因之一就是"页岩气革命"的成功，页岩气、页岩油的大规模商业开采，降低了美国企业的能源成本。我给各位提供一个数据，2012 年 4 月的时候，美国纽交所天然气期货价降到了 1.9 美元/百万英热单位，比 2008 年 7 月的 13.21 美元/百万英热单位下降了 86%。此外，美国这个过去的世界第一大石油消费国，将在 2017 年超过沙特，成为全球最大的产油国，并在 2035 年实现能源自给自足。听起来好像天方夜谭，但这就是技术改变现实的最好例子。我又要告诉各位一个让人头疼的事实了，就是我们中国其实才是全世界拥有页岩气储量最多的国家！但遗憾的是，我们至今都没法形成成规模的页岩气商业开采产业，重要原因之一是，页岩气开采的准入门槛太高，现在主要的游戏参与者还是没有创新动力的国企。

关于制造业，我也想向全国所有的制造业企业呼吁："不管你是国企还是民企，我们的制造业都不能再仅仅停留在来料加工的程度，而是必须向全产业链延伸。"怎么做？我曾在《产业链阴谋》系列图书中非常清晰地为各位勾画出产业链的流程：品牌、营销、采购、仓储运输、订单处理和零售；在这之外，还有物流。我把它们统称为"6＋1"体系。希望能够对渴望产业升级、转型的企业有所帮助。

最后，我要回归经济学家的位置，向我们的政府提一个建议，就是你在实施一揽子货币政策的时候，能不能有一个长远的、不轻易动摇的规划？我以美国为例，奥巴马政府在我们推出"四万亿投资"计划的2008年11月当月，推出了量化宽松政策。QE1从2008年11月开始到2010年3月结束，美联储先是印纸币从银行手里买回有毒资产，再把美国国债卖给银行，收回发出去的钱，避免乱印钱引起通货膨胀。此后QE2、QE3、QE4陆续出台，这一系列操作再加上减税等政策，辅助曾经深陷经济、金融危机的美国一点点实现复苏。美国政府和美联储联手上演的这出精彩的教科书式治国之"术"，我希望大家能够仔细研究一下，希望政府给我们的老百姓、民营企业，以及国企都提供一个稳定的创新、创业环境。

本书不想就中国经济改革问题做所谓的宏大述事，我是"喝资本主义奶水长大"的经济学家，做所谓的系统建构不是我的专长。所以我选择了2012年以来发生的，与中国经济、社会问题相关的16个"恶性"热点问题，进行一些简单的分析，希望能够给读者一点启示，并在阅读完这本书之后，能够在早就熟知的热点里，找到新的发现和新的思维。

本书的写作，我要感谢我的两位学术助手孙晋和马行空，没有他们的资料提供和初步研究，就不会有本书的出版；同时也要感谢东方出版社的编辑们，他们研究性的编辑工作，也为本书增色不少。

第一篇 让人头疼的国际经济风云

第一章 现在的希腊，明天的中国？

2013 年的阳春三月，塞浦路斯爆发债务危机，国家濒临破产。在众人为希腊危机屡次涉险过关，而对欧债危机渐渐淡去关注的时候，塞浦路斯的挤兑潮和游行再次把人们的焦点带回了危机四伏的欧洲。最近，有媒体指出塞浦路斯可以借鉴希腊解决危机的经验，以此逃离国家破产的命运。而实际上，最应该研究希腊债务危机的，恰恰是在隔岸观火的中国，因为我们的地方债务状况甚至比希腊还糟糕。

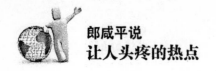
一、不要隔岸观火笑看希腊危机，中国的债台筑得更高

2013 年 3 月，塞浦路斯爆发债务危机，将 2009 年开始的欧债危机再次推向了一个新高潮。透过媒体对欧债危机的报道，我发现一个有意思的现象，就是我们基本都是把欧债危机当作热闹来看。为此，我很担忧，因为陷入债务危机最严重的，不是欧洲那些国家，而是我们。

首先我们看下希腊的债务危机到底有多严重。2009 年希腊公布了政府财政赤字，说公共债务占 GDP 的比值达到了 113%。什么意思呢？就是说，这个国家全体老百姓一年挣的钱还不够给政府还债的。而且更糟糕的是，根据分析数据显示，到 2014 年的时候，预计希腊负债与国民收入之比将高达192%。各位看到这个数字是不是觉得挺可怕的？是不是觉得希腊的老百姓真可怜，自己每挣一块钱，背后都要背负差不多两块钱的国家债务。但是，各位晓不晓得，在希腊爆发危机的同时，我们地方政府背负的债务一点都不比希腊少。我这里有一组数据，2010 年我们全国财政收入是 8.3 万亿元，其中中央财政收入 4.2 万亿元，归地方的有 4.06 万亿元。可是，中国银监会 2010 年曾披露，2009 年年末的时候，各地方政府融资平台债务总额为7.38 万亿，2010 年 6 月的时候，这个数字增加到了 7.66 万亿。这么一对比就会发现，我们地方政府的负债和财政收入之比已经达到了 187%。

我告诉各位，这还只是平均值。如果各位到我们的各个地方去看看，有些地方的债务问题真的可以称得上是"惊悚"了。2010 年上半年，审计署调查了 18 个省、16 个市和 36 个县的本级政府性债务情况，调查结果显示，截至 2009 年底，这其中有 7 个省、10 个市和 14 个县的本级债务余额和当年的可用财力之比都超过了 100%，其中最高的一个县——我就不点名，直接叫它 A 县好了——竟然达到了 364.77%。也就是说，当地政府一年里花了 3 年半的钱。看到了吗？我们地方政府的债务危机比希腊的更加可怕。

还有让我更担心的，就是我们全国的贷款利率基本是"一刀切"，而且还非常低，这样的后果就是地方政府更加有恃无恐地继续借钱支出。打个比方，还说上面的 A 县，它 94% 的财政支出都是靠借人贷款来维持的。2009 年初，也就是希腊爆发债务危机的时候，这个县的财政欠账是 24 个亿，就是这样的财政状况，我们的银行又以"一刀切"的利率——不到 6%——借给了它 20 个亿。那各位晓不晓得，希腊政府要想发债借钱，需要支付多高的利率，才会有人愿意借钱给它呢？高达 24%，是我们的 4 倍。支付这么高的利息，希腊政府对发债借钱这种事情是非常谨慎的，它们在国内大搞财政紧缩，同时还大量增税，目的就是想少借点钱。

我们用这么低的利率放贷支持糟糕的地方财政，这样做的后果是非常可怕的。到 2012 年 9 月，我们的地方政府融资平台贷款余额达到了 9.25 万亿元，而且这还是银监会和国家审计署公布的数据，我想真实情况会比这个更糟。地方政府敢这么疯狂借贷，其实还有一个原因，就是不用担心到期后还不了钱会受到什么惩罚。给各位举个例子，2012 年年底的时候，我们有 4 万亿的地方债务到期，可是地方政府只还了多少钱呢？1 万亿。我们的银行

对剩下的 3 万亿都进行了展期，也就是同意让地方政府推迟还款。为什么？因为它们根本没钱还，而且连借新还旧都做不到。

坦白讲，我对中国的地方债务状况真的非常担心。2009 年的时候，地方政府还能透过借新还旧的办法把过去的窟窿补上，但是到 2012 年年底，它们是直接耍无赖要求展期晚还钱了。而且，各位晓得吗？2012—2014 年这 3 年，还有 35% 的地方政府融资平台贷款将集中到期。我不敢想象，我们的地方政府还有银行系统要透过什么样的方法，来解决这一波波袭来的到期债务。

那么，我们的地方政府和希腊为什么会有这么高的债务？透过研究我们发现，从源头上讲，我们和希腊有着惊人相似的原因，它们分别是金融失灵、国有企业垄断国民经济关键行业和政府干预。

二、地方债危机原罪一：金融失灵

先说金融失灵。希腊的金融失灵可以说是从它加入欧盟之日起就注定了。为什么？因为欧元的设计方案本身就是漏洞百出的，我甚至有理由怀疑它就是一个欧洲强国坑害弱国的陷阱。为什么这样讲？各位晓得欧元诞生的前提条件是什么吗？就是让欧元区各国之间的汇率稳定在同一比例上，比如说德国加入欧元区的时候，它的本币德国马克和欧元之比是 2：1；希腊加入的时候，它的本币德拉克马和欧元的比是 340：1，各位注意，这个比值就这么固定了，不管之后德国和希腊的经济怎么发展，它们的原始货币之比一直固定在了 2000 年左右的 1：170。

对国际经济稍有留意的人应该都会晓得，德国和希腊的经济增长是不可能齐头并进的。给各位提供一组数据，德国经济 2002－－2012 年的复合年均增长率（CARG）是 1．2%，各位猜猜希腊的是多少？－0．1%，你没看错，这是个负数，意味着希腊的整体经济状况在过去 10 年是倒退的。再请各位想一想，如果德国和希腊没有使用欧元，会发生什么？因为经济发展得好，德国马克相对升值；因为经济衰退，希腊的德拉克马相对贬值，反正它们之间的比值绝不可能维持在 1：170。好了，问题就出在这里，欧盟强行把德国和希腊的货币币值之比钉在 1：170 这个点上。后果是，因为汇率固定，本来应该升值的"德国货币"没升上去，那就相当于贬值了；应该贬值的"希腊货币"没降下去，那就相当于升值了。

在国际贸易里一国货币贬值意味着什么？意味着它出口的东西相对便宜了，愿意买的人增多，这个国家的出口量就会增加，最后出现贸易顺差。那在欧元区，德国因为货币相对贬值，再加上本身非常强劲的制造水平，它一直是欧洲的第一出口强国。给各位提供一个数据，来自德国联邦统计局，在欧盟 27 个国家中，德国是出口第一大国，出口总额约占欧盟出口总额的 24%。而且，德国每年的对外出口当中，有六成以上都是出口到了欧盟其他国家。我想再提醒各位一下，德国一直是希腊的前三大贸易逆差来源国之一。

再看希腊，它凭空享受到了"升值货币"，然后怎么样？先是在高福利

政策下不事生产，再在"升值货币"的诱惑下大手大脚地买进口货。根据世界贸易组织公布的信息，2011年的时候，希腊在全球货物出口大国排行榜上，排第63位，在全球货物进口大国的排行榜上排到了48位。各位不要忘了，2011年的时候希腊已经爆发了债务危机，而希腊这个国家在一波又一波的紧缩政策里，还能有这种排名，只能说希腊人真的太"有钱"了，最后导致的结果就是，希腊的贸易赤字越积越高。

各位是不是觉得希腊很可恶？但是各位，德国和法国比希腊更可恶。先说德法两国政府，各位想想看，就连我都能分析出统一使用欧元后，汇率比值固定不变会给希腊这样的"经济弱国"带来什么样的危害，那它们能不晓得吗？但我们看到的是德国和法国一个劲儿地推进欧盟，特别是欧元区的壮大，甚至都不设计退出机制。结果就是德国、法国从出口中大量获利，希腊这样的小国在陷阱里越陷越深，等搞清楚怎么回事了，却发现想退出都没有途径。

各位想想，如果希腊能够退出欧元区，用回自己的本币德拉克马，以它现在糟糕的经济表现，币值完全可能一次性贬值50%，这样欠的外债就少了一半；另外，本币贬值还会导致法国和德国出口到希腊的东西变贵，比如德国车原来在希腊卖2万欧元，按希腊加入欧元区时的汇率比——1欧元兑340德拉克马——换算的话，就是680万德拉克马。那么德拉克马贬值50%以后，这辆车在希腊就将卖到1360万德拉克马，很多希腊人嫌贵，就会不买德国车了。这样希腊的进口减少，贸易赤字问题就能得到缓解。但是现在？希腊根本没办法退出欧元区。

还有德国和法国的金融部门，它们在希腊贸易逆差扩大的时候对它说，你不是欠了很多钱吗，没关系，我借钱给你，但你要定期给我利息。这相当于什么？希腊因为贸易逆差欠了德法几个大国的钱，然后它们的金融部门跑过来把本金借给希腊，再让它还本付息，让希腊的债务越堆越高。这里面，德国主攻的是政府信贷，法国主攻的是民间信贷。2010 年 5 月的时候，德国政府批准在此后 3 年向希腊提供大约 224 亿欧元的紧急贷款救助资金；另外，根据国际清算银行（Bank forInternational Settlement）的数据，德国银行是希腊政府债的最大海外持有者，在 2010 年就持有 227 亿美元希腊政府债。法国银行业持有希腊公司和个人贷款总额达到 396 亿美元，是全欧之最；法国银行持有希腊国债 150 亿美元，紧随德国排在第二位。再给各位看一个数据，希腊政府从 2011 年起，3 年内要还债 1450 亿欧元，这里面光利息就有 340 亿欧元。这些钱都还给谁呢？大部分都落入德国银行和法国银行的口袋了。

坦白讲，德国和法国金融部门的如意算盘到底能不能打响，还不确定。因为希腊在过去几年里一直都徘徊在国家破产的边缘，而且债务减记的状况越来越严重。所以各位看，在金融被扭曲设置的情况下，包括希腊、德国、法国在内，各方的利益都没法保全。但是各位不要忘了，我们的地方债务问题也同样不简单。如果说希腊金融失灵的原因主要来自外部，也就是欧盟的扭曲设置，那么我们的金融失灵就完全是我们自己的问题了。

先说我们的政府融资问题。各位应该都晓得，我们的经济现在基本就是靠投资在拉动，而且主要是靠政府大搞"铁、公、基"这样的大投资项目。

不同的是，2008年的时候，我们是靠中央政府推出"4万亿投资"的方式，发展地方基建；但是到了2012年，是我们的各个地方政府开始提出自己的投资计划，比如2012年7月，湖南省长沙市对外宣布，将投资8292个亿用来搞片区建设、基础建设，还有产业项目等。2012年8月，贵州省推出了总额为3万亿的刺激计划。那这两个地方的财政收入状况是多少呢？贵州省2011年财政总收入是1330亿元，而长沙市2011年全年的地方财政收入只有668.11亿元。也就是说，贵州省要一下子花23年的财政收入来搞基建，而湖南省的长沙市打算拿出13年的财政收入来搞投资。我跟各位一样很好奇，这些钱都从哪里来呢？

地方融资平台，其实是地方政府发起设立的一种公司模式，它通过地方政府划拨的土地，股权、规费，还有国债等资产，让其资产和现金流水平达到融资标准，然后向银行借贷，或者对外发放公司债。由地方融资平台公司发放的公司债，又叫城投债，因主要用于城市基础设施等公益性投资项目，所以又叫"准市政债"。近期，地方融资平台的融资模式，正逐渐从80%以上靠银行借贷，逐渐转变成发放城投债、打包资产向老百姓出售理财产品等方向转移。

2013年5月的时候，路透社发表了一篇文章，说我们的发改委原本设计了一个40万亿元规模的城镇化建设方案，但是最终没有被认可。我怀疑这里面是不是原本有打算支持贵州省、湖南省投资计划的预算。当然，除了向中央寻求支持，它们也有自己的融资渠道，比如说仍然透过地方融资平台公司，靠出售土地这种未来收益，向银行拿贷款。

但是，各位都看到了，我们现在正在全国范围内展开最严格的房地产调控，对于地方政府来说，卖地不再能保证地方融资平台公司有稳定的收入。这直接导致什么后果呢？就是平台公司过去从银行借来的贷款，很可能还不上。所以，地方融资平台公司也不能像以前那样，那么容易筹到钱了。我发现，现在它们也在透过另外一种融资模式进行融资，那就是把这些有可能已经成为坏账的资产打包成所谓的理财产品，向老百姓出售，许诺归还本金和比较高的利息回报。透过以上分析，我有理由相信我们老百姓根本拿不到钱。

地方政府想要融资，是不是可以透过其他的方式呢？是不是可以让地方政府直接自行发债？就是让省级或者市级政府公开发行自己的债券。发行的时候，把关于融资的所有信息都披露出来，让花钱买债券的老百姓晓得自己的钱将要花在什么地方。比如说，某个政府说它募集资金建一条高速公路，当地的老百姓要是发现这条规划中的高速公路完全是重复建设，是"面子工程"，那他们就可以选择不买政府债券。如果老百姓觉得有必要建这条高速公路，认为会有收益，就可以选择买政府债券。除此之外，融资成功后，发债政府必须及时公布工程的各项用款信息，做到公开透明，让第三方和老百姓真正起到监督的作用。这样做还有另外一个好处，可以很好地杜绝政府在整个工程中，比如采购环节，可能出现的权力寻租问题。

三、地方债危机原罪二：国有企业垄断
国民经济关键行业

我在研究希腊债务危机的时候，还发现了一个现象，就是它和我们的地方政府一样，都有一个非常庞大、臃肿而且低效的国企群体。它们在政府承担高负债的同时，不但帮不上忙，还要索取各种补贴，让政府债务雪上加霜。目前，希腊的电力、电信、石油、煤炭、港口和我们一样，都是国有控股，它们甚至停留在我们上一轮改革前的状态，比如说希腊的电信只有一家专营；电力行业的国企不但没实现厂网分离，甚至握有本国褐煤的独家经营权；希腊一共有 4 个炼油厂，其中 3 个都属同一家国企所有。2010 年 10 月的时候，希腊财政部公布说，2009 年希腊亏损最严重的 11 家国有企业涉及铁路、电轨、航天、旅游等领域，它们当时的负债是它们的年收人的 8 倍，而且在微不足道的收入里还要支出 78% 作为员工福利，剩下的 22% 还不够支付欠债利息。更不可思议的是，即使在这种状况下，希腊还有 5 家国企每年给员工发放的工资，比自己的年收入还多。

再说说我们的国企。我们的石油、电力、铁路等国民经济的支柱产业和希腊一样，都掌握在国企手里。据相关资料显示，我们国企的产值占全国经济总量的比重达到了一半左右。更有意思的是，20% 的就业人群实现了全国将近一半的工业产值。从这个角度看，国企经营得挺好的对不对？但是，各位知道国企是怎么实现"盈利"的吗？基本都是靠政府被贴。

其中一种补贴形式是政府直接注资。各位应该都还记得吧，2008 年年底金融危机爆发的时候，东航和南航的资产负债率分别达到了 98% 以上和 83%，差一点资不抵债。我们的国资委一下子就给东航、南航各注资了 30 个亿，而且后面还有追加。还有我们的"两桶油"、五大电力公司，经常向国资委伸手要补贴、要注资。比如说中石化，它在 2005 年、2006 年和 2007 年分别拿到了 100 亿、50 亿、123 亿元补贴；2008 年金融危机开始之后，它又和中石油一起分食了 660 亿元的巨额政府被贴。

另一种形式是，国企可以拿到更便宜的地租和低廉的贷款利息，这其实是一种变相的补贴。根据天则研究所所长盛洪的推算，我们的国企每年没有交的国有土地地租至少超过了 1 万亿。这是什么概念呢？在 2013 年两会上，温家宝总理宣布的新中国有史以来最高的财政赤字安排也不过是 1．2 万亿。而在这 1．2 万亿里，地方财政收支差额占了 3500 亿元，就是说国企如果能补交欠款的三分之一，就能够填补上 2013 年新增的地方债额度。请各位想想看，如果去掉政府的这些变相补贴，我们的国企还有利润吗？

还有一点特别要说的，就是国企上缴红利是国际惯例，丹麦、法国、德国、新西兰、瑞典、挪威，甚至是亚洲的韩国，它们的国企利润上缴比例都在三分之一到三分之二，新加坡的国企利润上缴比例更是高达 80%～90%。一比较下来，各位就会发现，其他国家的国企是把大部分的利润交还给政府，而我们的国企是把 80% 以上的利润留下来，自己用了。就拿中石油来说吧，它 2011 年的税后利润达到了 1330 亿，恰好是贵州省 2011 年全年的

财政总收入。如果按照上缴税后利润 15% 这个比例来算，中石油上缴了 200
亿之后，给自己留下了 1130 亿。也难怪世界三大评级机构之一的穆迪说，
要提高中国国企的评级。

四、地方债危机原罪三：政府干预不利，
该管的不管。不该管的反而管

其实不管是金融失灵，还是国企垄断资源不作为，归根结底还是政府的
管理出了问题。希腊是因为政府管得太少了，对外无力涉足欧盟的金融扭曲
设置，让国家陷入贸易赤字困境，对内则是无力管控各级政府和国企，以至
于沦落到时刻担心国家破产的地步。至于我们，则是政府管得太多了，特别
是地方政府不该管的也要横插一脚，结果搞得自己债台高筑。

希腊政府最无能的表现之一就是税收，希腊人逃税之疯狂，希腊税务部
门之无能，让我觉得以后都不好意思再批评中国税务局了。按照希腊政府自
己的说法，因为逃税，政府每年都会损失 130 亿欧元的税收；希腊独立税务
调查组的负责人说，因为希腊的个人和企业都逃税，希腊政府每年的损失高
达 400 亿~450 亿欧元。而根据欧盟和 IMF 的报告，希腊公司和个人累积的
未缴税收达到了 530 亿欧元，相当于它一年国内生产总值的四分之一。

希腊是怎么缴税的呢？根据希腊 2009 年的纳税记录，每 10 个希腊纳税
人里，就有 7 个人在报税的时候说自己的收入在贫困线以下，然后其中"最

惨"的4个人可以不用缴税。那么希腊政府又是怎么做的呢？它把纳税基准线调得比贫困线还低。结果是，希腊人把自己的收入报得更低，光是有10米以上豪华游艇的人，就至少有1.4万个人自称是"低收入者"；40%的人说自己的年收入比贫困线还低9200欧元，然后一分税都不缴。各位晓得吗？希腊一共有1100万人口，工作人口500万，这里面申报年收入超过10万欧元的竟然只有1.5万人。

所以说，在制定希腊援助计划的时候，欧盟、IMF都要求希腊透过追缴税收拿回20亿欧元。但是截至2012年9月底，希腊政府只拿回了1.1亿欧元。希腊看到在老百姓身上收不上税，就决定公开6000家欠税最多企业的名单，有意思的是，在这份名单上，排在第一名的竟然是希腊的国营铁路公司，欠税高达12.6亿欧元。

为什么希腊全民逃税？希腊经济学家Elena Panaritis就公开说过，希腊逃税问题猖獗，真正的罪魁祸首是整体税收制度混乱和公共部门管理效率低下。那么希腊的税务部门到底有多混乱呢？它们有个不成文的规则，叫作4－4－2，什么意思呢？就是说如果希腊老百姓配合税务官员缴税，也就是不故意逃税，可以享受6折优惠，相当于免征4成税。怎么做的呢？就是在你填表的时候，如果你这一年挣了15万欧元，那么按照希腊最新税法规定，你要缴42%的税，相当于6.3万欧元。但是希腊的税务官很可能就会说，看在你老实的份上，你缴6成税，也就是3.78万欧元就行了。但是，你在填表的时候要写你这一年只挣了4万欧元，那么就可以按照32%的税率，缴1.28万欧元的税就可以了。这中间产生的2。5万欧元的差价，全部进

了税务官的腰包。各位看明白了吗？希腊总税收中的4成当作折扣返还给了老百姓，4成让税务官员中饱私囊了，还剩下2成进入国库。而根据希腊的规定，税务官员只要把2成的税收交上去，就算超额完成任务了。

对财税体系的崩溃起到推波助澜作用的还有希腊的司法部门，它的腐败、低效也让人吃惊。希腊法律规定税收纠纷不经由仲裁或行政复议解决，而是由法院解决。但是希腊的法院效率非常低，到什么程度呢？据说希腊法院7年才能了结一桩官司，因此它手里至少积压了十几万个税收官司没有判。各位可以想一想，希腊法院的效率这么低下，老百姓肯定不干啊，于是希腊法院在过去30多年里搞了10次税务大赦，也就是不审积压的案子，全部直接判老百姓胜诉。在最近一次的税务大赦里，希腊从2000年到2008年之间的175亿欧元欠税被一笔勾销。各位晓得175亿欧元对于希腊来说意味着什么吗？2011年6月的时候，IMF扣下了原计划拨给希腊的120亿欧元救助金，理由是希腊没有实现让欧盟满意的财政紧缩计划，急得希腊政府想尽一切手段在国内推行财政紧缩。

我们的政府正好相反，我们是因为干预太多，不该管的也要管。就像我在上面所说的，我们的各级政府都非常热衷于资助国企，经常是财政出钱为国企提供各种明贴、暗补，甚至直接注资。按理说，我们进行了那么多年的国企改革，应该把它们变得更市场化，但结果正好相反，国企越来越依赖政府。不仅如此，我们的地方政府还非常喜欢插手私企的事。就拿尚德来说吧，2013年3月，无锡尚德太阳能电力有限公司宣布破产，欠债71个亿，拖累工行、农行、中行等在内的9家债权银行。其实尚德自从2012年8月开始，在美国纽交所的股票就已经跌到了1美元左右，收到了退市警告。尚德股价从最高峰时的90美元跌到了0．6美元。经营状况这么糟糕，尚德还是拿到了国内银行的巨额信贷资金——2亿元——用来解困。怎么拿到的呢？是无锡市政府担心尚德破产会影响当地上万人就业，还有"尚德"这个地方知名企业的名片效应，最后决定为其出面斡旋。结果呢，借到钱的尚德并没有起死回生，而放贷的工行、农行、中行这些银行却有可能形成71个亿的不良贷款。

其实，就在尚德已经走到破产这一步的时候，无锡市政府还在想尽一切办法进行干预。尚德的创始人施正荣原本打算只保留在纽交所上市的尚德电力这个子公司，其他的尚德资产全部按照破产清算的步骤处理，也就是把其他资产变卖掉来还债。但是无锡市政府进行了干预，并且派出无锡市国联发展有限公司来接手尚德，变破产清算为破产重组。

既然尚德的资产没办法按市场逻辑变现还债，它欠银行的钱怎么还呢？2013年3月底，对尚德授信最多的中行发布了它的2012年年报，到2012年年末中行一共给了尚德30多个亿的授信额。中行很明确地表示说，它给尚德的贷款全部降为不良贷款，还提取了50％以上的拨备。意思很明显，就是中行已经做好了亏掉一半贷款的准备了。剩下的一半债务由谁来承担？据推测，这笔账很可能会落在无锡国联身上，而无锡国联是无锡市政府在1999年成立的国有独资企业。所以说，最终是南无锡市买单。

根据我们的调查，无锡市2012年全年的公共财政预算收入完成了658亿元，但是无论我们怎么找，都找不到官方公布的财政支出情况。但我还是

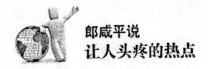

在媒体的报道里窥到了一丝端倪，2012 年 6 月份的时候，无锡太湖城管理委员会和滨湖区华庄街道办事处联名在网上发出了《致全体机关人员的一封公开信》，里面说，因为这个地区的拆迁建设任务"艰巨而繁重"，面临着"巨大的资金压力"，所以从 6 月份开始，"所有机关人员暂停发工资，只发放生活费"。这个消息后来被当地财政部门"辟谣"了，但是我有理由相信，无锡市的财政收支已经是入不敷出了。

透过对希腊和中国地方债务的比较分析我们发现，正因为金融失灵、国企骄横还有政府干预，导致我们地方债务状况如此糟糕。那如何杜绝金融失灵，如何使国企担当起应有的责任，如何转变政府职能，值得我们再重新思考。只有解决好这几个问题，才能从根本上解决地方债务危机。

第二章　国际贸易：
为什么受伤的总是我们

　　曾经是中国光伏产品主要出口国的欧美国家，在经济危机中大举实施贸易保护，频繁地在世贸框架下提起"双反"调查，打击中国光伏产品出口。而且，除了光伏产业，我们很多出口导向的产业都曾经遭遇或者正在遭遇这样的困境。

　　为什么在国际贸易纠纷中受伤的总是我们？我们该如何反击？

一、光伏"双反"案，其实是我们不懂游戏规则

　　2013 年 3 月 18 日，多家银行因对无锡尚德太阳能电子有限公司——昔日的中国首富兼明星企业 71 亿元人民币的本外币授信额债权，联合向无锡市中级人民法院递交无锡尚德破产重整申请。3 月 20 日，无锡中院裁定对无锡尚德实施破产重整。让人担忧的是，尚德的破产并不是个例。厄运不只降临在昔日的"新能源教父"、"中国首富"施正荣一人身上，同一时间，

几乎所有的中国光伏企业都经历了类似的困境——严重产能过剩导致不得不靠政府救济度日。我们的光伏产业究竟怎么了？

最近几年，我们很多做外贸的企业，不管是制鞋的还是造船的，其实大家都挺努力的，可是为什么日子就这么难呢？为了搞清楚这个问题的根源，我们团队做了大量调研，原因当然有很多，但是其中有一个原因让我感觉挺意外，也挺担忧的，这个原因就是我发现，我们在很多方面根本不懂国际贸易的游戏规则。

就拿我们的稀土产业来讲吧。各位都晓得，稀土是一种非常重要的战略资源，我们的稀土储备世界第一。但是，就是这么重要的资源，之前却一直在国际上被贱卖，出口价格甚至都不如猪肉。之后呢，我们想提高出口价，那我们是怎么做的呢？我们竟然选择用配额制来限制稀土的出口。我想提醒各位的是，稀土属于战略资源，如果我们不想出口就可以不出口，没有人会强迫我们。我们选择配额制的结果，就是给日本和欧美留下了合理指责我们的借口。因为 WTO 规定得非常清楚，任何国家出口产品都不能使用配额。结果，欧美国家跑到 WTO 那告了我们一状。那我想请问，我们在搞稀土配额之前，究竟有没有研究过 WTO 的规则？

我们在国际贸易摩擦问题上有个特殊身份，就是"常败将军"。我们几乎在所有领域都被人家提起过反倾销、反补贴调查。在过去的 17 年里，我们所遇到的"贸易摩擦"，比全世界其他所有国家加在一起的还要多。按照 WTO 的统计，从 1995 年 1 月 1 日到 2010 年 6 月 30 日，外国对中国发起反倾销调查 784 起，占世界全部反倾销调查的 20. 9%。而我们对外发起过多少贸易反击呢？从 2003 年到 2012 年 9 月这 10 年里，我们对外发起的反倾销调查案一共是 131 起，而反补贴调查案只有可怜的 5 起。

更可怕的是，由欧美国家提起的这些"双反"调查，基本是只要告就能成功，搞得我们的外贸企业非常狼狈。透过对欧美国家的分析我们发现，我们的主要贸易对手，比如美国，对 WTO 的规则早就研究透了。只要它们认为需要，随时可以透过 WTO 找我们的麻烦，打击我们的出口。而一旦发生金融危机，欧美国家更是习惯于把惩罚中国的出口产品当成挽救本国经济的法宝。

这次中国的光伏被"双反"调查，美国又一次达到了打击中国的目的。2010 年美国的光伏企业因为没法和中国的低价太阳能产品抗衡，有 1/5 都破产或者停产了。对此，美国政府是怎么做的呢？在 2011 年 11 月，美国商务部正式对中国输美太阳能电池（板）发起了反倾销和反补贴调查，导致的结果是，我们的输美光伏产品销量从 2012 年 1 月份的 3.87 亿美元，直线降到了 2012 年 9 月的 0.85 亿美元，下降了约 80%。也就是说，美国政府透过对我们的光伏产业进行"双反"调查，仅仅 8 个月时间就为本国和欧洲光伏企业贡献了近 3 亿美元的市场份额。而据我们发改委能源所副所长的估算，我们的光伏企业因为美国"双反"调查的影响，很有可能损失 20 亿美元。之后，欧盟也对我们发起了"双反"调查，2013 年 6 月初，宣布对中国的光伏产品征收 11.8% 的临时反倾销税，8 月份，这一数字预计会上升到 47.6%。美国和欧盟这一连串的打击，让中国光伏产品的价格优势完全消失了，中国光伏产业全面陷入困境，尚德的破产只是其中一例。

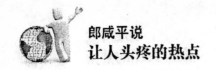
二、"苹果和红酒"：只是万里长征第一步

2013 年是中国入世的第 12 年，在这 12 年里，关于国际贸易我们最常听到的就是"双反"这个词了，一个是"反倾销"，一个是"反补贴"。有意思的是，透过资料我们发现，欧美国家对我们实施的"双反"调查，其实从我们入世的第 64 天起就开始了，而且越来越频繁。我们来看看 2012 年美国和欧盟起诉中国的几个"双反"案例。5 月 17 日，美国决定对我们出口到美国的光伏产品最高征收 250% 的惩罚性关税；7 月 27 日，对中国出口到美国的风电塔，最高征收 99% 的关税；9 月 1 日，欧盟跟随美国，对中国出口到欧盟的光伏产品进行"双反"调查；9 月 17 日，奥巴马突然宣布对中国出口到美国的汽车与零配件进行"双反"调查……

我先跟各位解释一下什么是"反倾销"？比如说，我们出口到美国的一件产品卖 70 块钱，美国说你卖得太便宜了，它就要反倾销。美国又是用什么标准来判断是不是太便宜了呢？比如说，出口类似产品的亚洲其他国家，像韩国或者越南，如果它们的产品卖 100 块（我们的卖 70 块），美国就会说我们有 30 块的倾销行为，所以美国就要抽 30 块的关税，让我们产品的价格卖到美国之后也成了 100 块，和韩国或者越南一样。那什么又是"反补贴"呢？就是美国认为我们的企业得到了政府的补贴，因此减少了成本，把产品以低廉的价格卖到美国去。如果美国认定我们的产品存在补贴和低价销售，比如导致我在前面说的，这个产品卖便宜了 30 元钱，那么美国政府就会在征完了反倾销税之后再征收反补贴税。目的就是要让中国产品的价格优势完全消失。

各位想想看，按照美国的逻辑，补贴是倾销的先决条件，那征收了反倾销税，就没有必要再对它的诱因征收反补贴税了嘛，对不对？但是美国政府就是要把这两个税算在一起，对我们的产品双重征税。而且，美国的这种做法在当时完全是无法可依的。但遗憾的是，我们被人家告了那么多年，竟然都不晓得这些诉讼本身根本就是不成立的！

之后的 2012 年 9 月 17 日，我们的商务部就美国在关税法修订法案（GPX 法案）中违反 WTO 规则的做法，提出和美国在 WTO 争端解决机制下进行磋商，正式启动了 WTO 争端解决程序。那么美国做出的反应是什么呢？美国国会竟然决定修改法律，出台了一个《H. R. 4105 法案》。这个法案说，首先，美国不承认中国是市场经济国家，因为你没有一个产业是真正靠市场做指导的，可是你有一定的市场行为，比如说你生产的袜子、矿泉水等等，还是通过市场来卖的。所以说，你还是有一定的市场行为。

各位看明白了吧，美国的意思是说，你虽然不是市场经济国家，但你有部分的市场，既然有部分的市场，那就可以说你存在补贴。还有更无法理解的，这个《H. R. 4105 法案》是 2012 年 3 月份才通过的，可是它竟然可以追溯到既往，追溯到 2006 年。也就是说，美国 2006 年以后对中国发起的"双反"调查现在一下子变成"有法可依"了。各位要晓得，法律不溯及既往是世贸的规定，也是全世界公认的。这是有一点法律知识的人都晓得的。

但美国竟然说它的《H．R．4105 法案》可以从 2006 年算起?!

透过上面的几个案例，我想提醒各位的是，透过贸易打击一个国家的经济已经是欧美国家惯用的手段了。所以说，我们现在面对的是一场非传统意义上的战争，是贸易战。按照上面的分析，我们在这场贸易战中，现在完全居于劣势。而居于劣势的原因就是，我们对国际贸易规则的理解很不到位。所以，我们现在需要做的是，利用合法的游戏规则反制美国、反制欧盟。

当然，我们也已经有一些新的动作，比如说，我们在 2013 年的"3·15"晚会对苹果售后服务问题的曝光，就是一次比较好的反击。还有，2013 年 6 月，欧盟对我们光伏产业征收高关税之后，我们对欧盟出口到中国的葡萄酒发起了"双反"调查。但是，我要提醒各位的是，如果我们想和美国、欧盟在国际贸易领域进行真正的较量，就必须把眼光放在 wro 这样的大平台上，理解、掌握国际贸易的游戏规则，变被动为主动。

三、如何在国际贸易大战中变被动为主动

为了打赢贸易战，我们必须建立一套成型的贸易纠纷处理体系，制定能和美国、欧盟对抗的方法和战略。具体怎么做呢？

首先，我觉得最基本的要求就是我们的企业和商务部门一定要彻底搞懂 WTO 中"倾销"、"补贴"等专业概念，在此基础上，建立一套国际贸易争端的解决机制和体系。第二，我们的行业协会和政府，在某些领域，可以对

欧美国家也采取"双反"调查和诉讼的策略。但是，对欧美国家的"反倾销，反补贴"诉讼，关键是要抓住对方的软肋，做到知己知彼。

中美贸易摩擦一向是美国政坛的博弈筹码，特别是在大选年，民主和共和两党都认为提出遏制美国对华贸易逆差，能够得到大部分美国人，特别是蓝领阶层的好感。2012年1月24日，奥巴马在发表国情咨文时表示要建立一个贸易执法机构，这个新部门将负责调查中国等国的"不公平贸易"做法，针对中国的意图非常明显。2月28日，奥巴马签署命令，在美国贸易代表办公室内部设立跨部门贸易执法中心，协助美国贸易代表办公室与国务院、财政部、司法部、农业部、商务部、国土安全部、国家情报总监办公室等部门之间的贸易执法行动，足可见贸易执法中心的地位之高，以及美国针对中国的贸易调查之严。在此背景下，我们看到了2012年美国针对中国的光伏、风电等产业展开的一系列贸易惩罚措施，那么中国应该如何回击呢？

美国的软肋在哪些领域呢？肯定不是军事、科技等等，这些我们跟人家差得太远了。美国真正的软肋在农业。这并不是说美国的农业实力不强。恰恰相反，美国的农业水平也是世界第一，问题在于美国的选举制度。美国除了西岸的加州和东岸的纽约州之外，其他绝大部分的州都是所谓的农业州。农业州人口不多，但是它们非常有影响力。为什么？因为按照美国的法律，每个州都会选出两名参议员。像纽约和加州这样大的州，也只有两个参议院的名额。这样推算的话，来自农业州的参议员占大多数，那它的政治势力自然也就比较大，所以美国政府最不敢得罪的就是农民。这也是为什么美国政府每年都要对农产品进行大量补贴的原因。

　　美国有一个叫 CRS 的研究机构，它专门替美国国会提供研究报告。根据它 2006 年发布的报告显示，美国政府对大豆、棉花、玉米、大米、高粱、燕麦、大麦和花生等等都进行了大量补贴。这里面有很多产品都是要出口的，比如说我们最熟悉的大豆、玉米和棉花，都会出口到中国。如果我们能抓住美国出于政治考虑，而对农产品每年进行大量补贴的事实，提起贸易诉讼，那么，受伤的还会是我们吗？可是，具体我们该怎么做呢？

　　我就以棉花为例。2010 年下半年，我们的棉花价格暴涨到 3．1 万元每吨，导致在 2011 年年底的时候，很多纺织厂因为成本过高倒闭。以山东为例，50% 的中小纺织工厂都倒闭了。那时候，美国出口到中国的棉花，平均要比我们本土产的每吨便宜 3000～5000 元。为什么？就是因为它们进行了大量补贴。美国以低价出口棉花到中国，让我们的棉花卖不出去，它打击的是谁呢？当然是我们的棉农。那我们的发改委是怎么处理的呢？它竟然推出了一个滑准税。这个滑准税是干什么的？就是对进口棉花征收关税，让进口棉花的价格和本土产棉花的价格一样高，也就是每吨加了 3000～5000 块钱的关税。加了关税之后，进口棉花就和国产棉花的售价差不多了。这么做的官方说法是"相当于为进口棉花价格设置了底限，对国内棉花市场价格形成支撑"。可是各位请想一想，国产棉花也好，进口棉花也好，是谁去买棉花呢？我们的纺织厂，这就直接推高了纺织厂的成本。直接后果就是，纺织厂倒闭，纺织产品价格提高。最终被伤害的还是我们老百姓。

　　除了棉花，美国还曾经对我们的大豆进行过打击，搞得我们很惨。我们可以回顾一下，1996 年我们开放大豆进口之后，美国用它的低价大豆冲击了我们的市场。低价的原因也是美国政府对它的豆农进行了补贴。1996年的美国《农业法》规定，每年补贴它的豆农29亿美金，后来到2002年它修改了这个补贴法，变成了每年补贴50亿美金，相当于每生产一吨大豆就能得到59美元的补贴。美国大豆补贴占大豆总产值的比例高达34.2%。这些大豆大量出口到中国，造成的后果就是1996年到2011年，我们整个大豆的种植面积下降了61%。遗憾的是，直到目前，我们竟然都没有对美国大豆提起过任何诉讼！

那么，我们究竟该怎么打贸易战呢？来看看巴西的例子。巴西在2002年曾经控告过美国，当时它也是发现美国棉花经过大量补贴，向美国以外的国家低价销售。巴西提出要和美国政府谈判，但是美国政府不理它。最后巴西进行大量的资料搜集，来证明美国存在补贴。经调查发现，美国政府对棉花的补贴是每磅6.67美分；如果每磅的售价低于72.4美分的话，美国政府就会把这个差价补给农民。这么做的目的就是要让美国的棉花价格低于国际市场平均价格。这是标准的政府补贴行为。美国这么做的结果是，在过去十几年的时间里，即使全球棉花产业、纺织行业经历过非常萧条的时期，美国棉农不仅能够生存，其市场份额还从1999年的17%上升到2003年的42%。

从巴西提供的数据来看，美国的棉花出口既存在补贴，又有倾销的嫌疑。那么巴西又是怎么做的呢？它坚持和美国打国际贸易大战，从2002年到2009年一直在向美国提出"反补贴"贸易诉讼。2009年11月19日，WTO终于作出裁决，允许巴西进行8.29亿美金的惩罚性贸易报复措施，

每年惩罚美国赔给巴西1. 43亿美金。美国没办法了，它就在这个惩罚生效前一天让步，跟巴西说我们共同搞一个基金吧。然后美国出1. 43亿美金搞了一个基金，帮助巴西棉农提高生产技术，还给出一大堆和解方案。巴西打了一个很大的胜仗。

当然，除了棉花之外，还有玉米。美国每年补贴玉米种植户90亿美金，加拿大、阿根廷、墨西哥、巴西等等国家都为这个事情控告过美国。在国际贸易中屡屡受伤的中国，怎么就不知道向巴西学习，抓住对方的软肋，主动出击，反败为胜一次呢？

说了这么多，本章的思路其实就是，我们为了入世，谈判搞了15年，再加上入世后的这12年，一共是27年。在这么长的时间里，我们竟然没有搞清楚WTO的规定到底都有些什么，也没有建立起国际贸易纠纷应对机制和体系。所以，一旦发生贸易争端，我们总是"被打"。可怕的是，我们很多企业对这种"被打"的态度也"乐于接受"，根本不去想如何反抗，更不用说主动出击了。我再次提醒各位，在我们的企业都急着"走出去"之前，一定要学会如何透过WTO这种国际平台保护自己，而不能总是一味地"被打"。

第三章　量化宽松"玩出新花样"，我们该向美国学什么？

2012 年 9 月 13 日，美联储第三轮量化宽松货币政策一出，中国的 A 股市场就应声而落，再度创下新低。专家认为，美联储前两轮的量化宽松货币政策已经间接恶化了全球的通胀，让持有美债的国家损失惨重，疯狂印出的美钞将使美国的信用评级再度下降，全球的经济复苏也被迫拖入漫漫长夜。

美联储为何要冒天下之大不韪，强行推出 QE3 呢？现在看来，美联储的量化宽松和奥巴马政府的组合拳已经让美国经济走向复苏。中国应该向美国学习的是人家政策背后藏富于民的核心理念，而不是再搞个四万亿去对抗美国。

一、QE3 来了，奥巴马笑了

美国大选之前，经济数据并不在奥巴马一边。

美国 2012 年 7 月份的出口增长率只有 2.8%，过去都是两位数；制造

业采购经理人指数（PMI）在6、7、8月，3个月连续低于50；8月份失业率8.1%，看上去比上月下降0.1%，实际是有近30万人彻底放弃了找工作，让失业率下降。

关键时刻是对手罗姆尼帮了奥巴马！

罗姆尼在2012年8月23日竟表示，自己上台后要撤掉美联储主席伯南克，亲手把伯南克推到了奥巴马一边，解决奥巴马"选举危机薯的QE3应运而生。

QE3最终帮了奥巴马大忙，随后又有了QE4，我们可以从奥巴马与伯南克的合作中得到哪些启示呢？

各位发现了吗？每到年末，美国的事就特别多。美国民主党和共和党把"财政悬崖"问题一直拖到2012年12月31日，才算有了结果。还是这个月的12日，美联储推出了第四次量化宽松，也就是QE4，离推出QE3只隔了短短3个月。两次量化宽松的内容非常类似，都是美联储每个月拿出一笔钱，去买美国的国债。其实，QE4只是对QE3的追加，也就是巩固。为什么？因为QE3的效果好，对美国经济复苏有帮助，所以美国要继续这么做。还有一点也很重要，就是QE在政治上担当了一个非常重要的角色。在2012年，美国完成了他们的总统大选。结果各位都晓得了，就是民主党的奥巴马赢了共和党的罗姆尼，获得了连任。一直关注美国大选的人都看到了，这两个人的竞选大战非常热闹，看点也不少。那各位晓不晓得，在这次大选中，QE3竟然帮了奥巴马一个大忙。

美联储是在2012年9月13日推出的QE3，推出之后美国股价立刻暴涨。各位注意了，这个时间是非常微妙的。这时离最终的大选日还有两个月，可在 QE3 推出之前，美国三大经济数据一直都不怎么好看，这对当时的奥巴马是非常不利的。我带各位回顾一下当时的数据：

第一个是出口情况，美国 2012 年 7 月份的出口增长率只有 2.8%，过去都是两位数。这其中对欧洲的出口，因为欧债危机，下跌了 4%；对亚洲的出口下跌了 0.5%，对中国的出口只增长了 8%，看上去不少了是不是？可是，这个数据过去曾经有增长 60% 以上的记录。所以说，美国的出口从 2012 年 7 月份开始大幅下滑，这让奥巴马非常担忧。

第二个是制造业采购经理人指数，也就是 PMI。这个指数如果高于 50，代表经济稳健增长；如果低于 50，就说明经济进入萧条期。2012 年 5 月份的时候，美国的这个指数是 52.5，但是 6 月份、7 月份、8 月份都是在 49.7 左右。这个数只是稍微低于 50 一点点。坦白讲，美国的情况不是很差，因为我们 2012 年 8 月份的 PMI 指数才 49.2，情况比美国严重。如果有人长期关注中国和美国的 PMI 指数应该晓得，2009 年本轮金融危机达到高潮的时候，中国的 PMI 指数都在 50 以上，但是那个时候美国的 PMI 指数各位晓得是多少吗？只有 36。所以说奥巴马政府已经相当不容易了，经过两年的经济重建就把 PMI 指数抬高到了 50 左右。但这是在大选前，为了更有把握赢得大选，奥巴马希望能够在竞选之前将这个指数拉到 50 以上。

第三个就是失业率。当时美国 8 月份的失业率是 8.1%，比 7 月份的 8.2% 下降了 0.1 个百分点。看上去挺好的，对不对？可是我们仔细看看报告附录里面写的话，就能发现一个很严重的问题：原计划 8 月份新增加的

就业岗位是 13 万个，最后只有 9.4 万个。新增就业岗位比预计少了这么多，失业率应该上升才对啊怎么还会下降？我查了相关数据发现，原来是美国已经放弃找工作的人数，从过去的 40 万上升到了 69 万，就业市场一下子就少了将近 30 万人。各位要晓得，美国统计的失业人口，指的是愿意工作但是找不到工作的人，那些本身不愿意工作的人是不在统计范围内的。按照这个方式进行计算，美国的失业率自然下降了。

就是在这种情况下，美联储主席伯南克推出了 QE3，而正是这个 QE3 拯救了奥巴马。伯南克为什么会这么做呢？这个事情挺有意思的。2012 年 8 月 23 日，共和党的总统候选人罗姆尼出乎意料地发表了一段非常奇怪的话，说如果他，也就是罗姆尼，当选总统的话，首先要把美联储主席伯南克给炒鱿鱼。其实我到现在也没搞明白，作为总统候选人，罗姆尼怎么能到处得罪人呢？这不是他第一次干这种蠢事了，在这之前他还批评过俄罗斯总统普京，把普京也惹毛了，对他大骂。这一次他又把伯南克惹恼了，伯南克肯定会想，你一上任就要把我给炒了，那我肯定倒向奥巴马啊。其实当时的伯南克对到底推不推出 QE3 是非常犹豫的。2008 年美联储推出了 QE1，2010 年又推出 QE2，国内外的舆论压力都非常大，尤其是像我们还持有大量的美国国债，对美联储非常有意见。所以在 9 月推出 QE3 之前，伯南克在媒体问他关于 QE3 的事情时，他的回答都很模糊，根本没有明确表态。可是，8 月 23 日罗姆尼的话狠狠地刺激了他，于是，20 天后的 9 月 13 日美联储推出了 QE3。

二、伯南克的天才计划和奥巴马的"藏富于民"

QE3 一出，美国股市大涨，它为什么这么有效呢？要了解这个问题，我们得回顾一下历史，先谈谈 QEl 和 QE2。QEl 是在 2008 年 11 月金融危机彻底爆发时推出的，历时 16 个月，一直到 2010 年 3 月份才停止。这 16 个月里，美联储大量收购有毒资产，也就是金融危机的始作俑者——MBS（住房抵押贷款证券），还有机构的 MBS。美联储在 QEl 结束时一共买了多少 MBS 呢？1．25 万亿美金。美联储为什么花那么多钱买有毒债券？各位要晓得，在金融危机爆发之后，美国各个银行手中都握着和房地产有关的有毒资产，这些都是还不起本金和利息的资产，银行如果长期持有的话，后果不堪设想。作为美联储主席的伯南克如此大量收购有毒资产，当时全世界几乎都在等着看他的笑话，可是他想出了一个非常天才的办法，竟然让银行成功地摆脱了这些有毒资产。

伯南克是怎么做的呢？他先是让美联储印美钞，然后向银行购买有毒资产。比如说 A 银行握有 100 块钱的有毒资产，伯南克就印 100 块钱的钞票，然后说钞票给你，你这些有毒资产给我。这么一来，银行的有毒资产没了，它就恢复正常了对不对？可是各位，银行拿到这 100 块钱现金，如果放贷出去的话，那社会的货币供给量就会立刻大涨，说不定刚搞定有毒资产，通货膨胀就接踵而来了。这时候伯南克和美国财政部又想出了一个天才方案，他

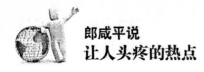
们干脆把美国的国债卖给这些银行，比如说再卖 100 块国债给 A 银行，然后把它刚拿到手的 100 块现金收回来。银行手上最后没有现金，只有 100 块债券，这样银行就不能放贷，也就不可能引发通货膨胀了。我找到了一组数据，从美联储 2008 年 11 月宣布 QE1 到 2010 年 3 月结束，美联储间接购买了 3000 亿美元的美国国债。

伯南克这样做，不但解决了美国的金融危机，同时还让美国政府从中赚了一笔，为什么这么说？各位要晓得，美国政府可不像我们，它借出去的钱是一定要还的，而且还要附带利息还回来。美联储在 QE1 中救了陷入危机的企业和银行，它们在渡过危机、经营恢复正常之后，就必须连本带息把钱还给美国政府的，这样政府就能从中赚一笔。各位，这就是水平。

QE1 非常成功，那么第二轮呢？QE2 是在 2010 年 11 月推出的，差不多历时 8 个月，到 2011 年 6 月份结束。这次美联储投入了 6000 亿美元，比第一次少得多。美联储这一次购买了美国长期债券，让它的售价升高、利息降低，让企业、个人和银行贷款的长期借款利率跟着下降，刺激企业贷款和个人消费。各位都晓得，美国现在的基准利率已经几乎达到 0 了，不可能再降了，伯南克就透过这个办法降低长期利率，让买房的人和贷款的企业，在还长期借债的时候能轻松很多。事实证明，这样做刺激了美国经济的复苏。2010 年 11 月，美联储正式启动 QE2，之后标普 500 上涨了 20%。

出口放缓，制造业不振，以及失业人口激增，是奥巴马再度竞选总统要解决的三大难题。伯南克不失时机地推出 QE3，间接帮了奥巴马一把，使他获得了更多的民意支持。其实早在 QE1 和 QE2 期间，奥巴马就相应推出了诸多方案，以促使美国经济抢先复苏，这些方案一度盘活了经济，着实让美国人赚了一把，那么奥巴马到底推出了什么样的方案呢？

在美联储推出 QE1 和 QE2 的时候，奥巴马提出了"藏富于民"，也就是民富计划。他认为，要解决经济危机，就必须让美国老百姓更富裕。那么如何让老百姓更富裕呢？奥巴马随后提出了一揽子方案。

第一，减税，而且是大幅度地减税。老百姓税缴得少了，财富自然就增加了。第二，积极推动 QE1 和 QE2。各位要晓得推动量化宽松，除了我刚刚讲的能解决有毒资产危机和降低长期利率之外，还有一个好处，就是美元贬值，然后股价大涨。据统计，美国有 54% 的老百姓持有股票，股价大涨的结果就是老百姓的财富增加，至少这 54% 的人的财富增加了。那么，透过减税和股价上涨，老百姓的财富增加了，之后他们会做什么呢？增加消费。而消费品需求大增的结果，就是工厂开工，失业率下降。两轮量化宽松再配合上政府的减税政策，就完成了奥巴马"藏富于民"的执政理念。

坦白讲，这个执政理念是非常成功的，它启动了美国经济的全面复苏。给各位看一组数据，也是我前面提到的，美国的 PMI 指数在 2009 年 3 月份的时候只有 36，到 2012 年的 5 月份是 53，其中在 2011 年还有几个月在 60 以上。我们把美国、欧盟和中国作下比较，美国的经济在减税和两轮量化宽松政策的刺激之下，已经领先全世界回暖了。

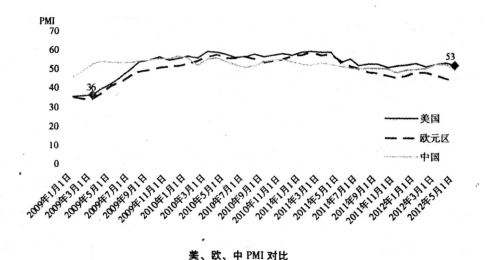

美、欧、中 PMI 对比

三、QE3、QE4 降低美国老百姓房贷压力

各位是不是觉得有点奇怪，既然美国的经济已经回暖，怎么还会在大选前突然出现了三大数据的滑坡？也就是说，2012 年 6 月份之后，美国经济为什么出现了下行趋势？透过分析我们发现，美国经济的下行压力主要来自欧盟和中国。2012 年年中，欧盟的欧债危机久拖不愈，对美国产生冲击；同时，中国也产生了危机，时任总理温家宝多次讲过中国经济下行的压力很大，国资委也说国有企业要在未来 3 年到 5 年作好过严冬的准备。因为中国和欧盟的经济不景气，使得美国经济同样跟着下滑。经济的下滑让大选前的奥巴马非常头疼。在那个时候，奥巴马是非常希望得到美联储的帮助的，但是，连他也没想到，这个大礼竟然是对手罗姆尼间接送给他的。

那么这次的 QE3 又会给美国经济带来哪些好处呢？美联储在 2012 年 9 月推出 QE3 的时候承诺，每月购买 400 亿美金的 MBS，一年可以买 4800 亿美金，规模远远不如第一次，比第二次还少 1200 亿美金。但是各位，这不是重点。各位要晓得，美国人是赚多少钱花多少钱，大多数都是月光族。根据统计数据显示，美国人的收入当中 34% 都用去付按揭了，然后医疗保险 6.6%，服装 3.5%，娱乐 5.2%。所以奥巴马政府要想"藏富于民"，刺激消费，就得想办法把他们的按揭压力降下来。怎么做的呢？有一点我们要搞清楚，美国和中国的按揭不一样，我们中国老百姓向银行贷款，办了按揭以后，每个月按时还本金和利息给银行就行了。但美国不是，美国银行把钱借给老百姓之后，就会把这个贷款卖掉，卖给谁呢？卖给一个中介机构，然后由它打包成债券，卖给退休基金或者其他基金。所以到最后你发现，美国的银行只是二道贩子。那么老百姓真正的大债主是谁呢？正是那些基金，如果它们对房地产市场悲观，就会选择不买房地产债券，然后债券价格立刻下降，利息立刻上涨。利息一上涨，美国老百姓就得多付房贷利息，负担就更重。所以美联储在 QE3 里就是透过购买 MBS 降低了一些债券利息，也就是降低老百姓的按揭。

各位不要小看按揭的这"一点点下降"，根据密歇根大学的统计，美国人口当中，有一半人是负债大于资产，这些人当中又有一半，大概占总人口的 20%，是流动负债大于流动资产，这是什么意思呢？我来解释一下，比如你拿到每个月的薪水之后，第一件事就是还信用卡、还房贷，然后这个费要付，那个费也要付，这些支出就叫流动负债，你每个月领的薪水就叫流动

资产。如果你付了房贷、付了信用卡欠款，然后去吃喝玩乐，花的钱超过了你的薪水，就叫作流动负债大于流动资产。如果透过美联储推出的 QE3 让老百姓每个月的月供下降（记住月供占了美国人总收入的34%），哪怕只降一小部分，就可以帮助50%资产小于负债，甚至20%流动负债大于流动资产的人，使他们减轻负担，增加消费，从而拉动美国的经济。

在美联储宣布推出 QE3 之后，它和前两次量化宽松一样，让美国股市连续大涨。我在前面提到了，美国有54%的人都持有股票，他们会随着股市大涨而增加收入，接下来消费也会增加。因此，第一，月供减少，增加消费；第二，股票价格上涨，财富上涨，增加消费。这两种消费增加，就为美国经济稳定的复苏创造了基础。另外，我还要提醒各位注意，美联储的三次量化宽松也帮助了美国的富人。因为三次量化宽松向华尔街注入了大量的流动资金，增强了他们的购买力。华尔街的投资人多精明啊，他们可以拿着这些钱，在欧债危机爆发到高潮的时候，在优质的欧洲金融业和制造业出现暂时性危机的时候，抄底收购。各位看到了吗？几轮量化宽松下来，不仅推高了美国的股价，也让在美国上市的公司市值水涨船高，如果有人想收购这些上市公司就需要更多的成本，所以量化宽松也间接保护了在美上市的公司，使它们不会轻易被收购。

美联储于2012年9月13日推出 QE3 后，导致美国 MBS 价格上涨，各大银行仅通过将按揭贷款打包成证券，就能获得丰厚利润，促使美国银行股股价大涨。此外，欧洲、日本以及多数新兴国家的股市，也都在 QE3 的带动下大涨，巴西、日本等国政府甚至入市干预；但中国股市只呈现出震荡格局，没有大涨。

各位想想看，QE3 的好处这么多，那伯南克在 3 个月后推出 QFA 就一点也不奇怪了。美联储在 QFA 里承诺，每个月购买 450 亿的美国国债，比 QE3 承诺的 400 亿还多，这样两个量化宽松加在一起，相当于美联储每个月购买 850 亿美元的美国国债。那么我们的很多专家又要跳出来了，和 3 个月前一样，说美国这个 QE3，还有 QE4 很可能影响到中国，造成中国的通货膨胀等等。我完全不赞同这个观点。因为中国经济就算下挫，也是我们自己造成的。我就以 PMI 为例，为什么我们在 2012 年 8 月的时候只有 49. 27 主要是 2008 年开始的大规模投资计划造成的，和国际因素关系不大，美国 QE3、QEA 就算对中国有冲击，那也是很小的，几乎可以忽略不计。

现在最让我担心的是什么？有一种声音正在叫嚣，要中国用推出 2. 0 版的四万亿计划，来对抗美国的量化宽松。我在《中国经济到了最危险的边缘》里就已经说过了，之前的大规模投资不但没有拉动我们的经济，反而陷入了中国式滞涨。如果这次我们再启动一轮新的投资，将会引发更严重的后果。那是非常可怕的。我们的当务之急，是通过经济结构调整来"排毒养颜"，通过货币政策、财政政策、行政改革等"组合拳"放权让利，降低经济运行成本，减轻企业和老百姓的负担，提高效率，从供给和消费两端为经济注入活力。我们应该向美国学习的是这些，而不是再去搞个四万亿的刺激计划，把已经处于危险边缘的经济推向谷底。

最后，我再给各位梳理一下本章内容。本章通过回顾美联储和奥巴马政府是如何通过美元的量化宽松以及减税等手段，实现藏富于民，并最终提升

经济的。所以，我们的政府应该调整思路，多多考虑如何减轻企业的负担，增加老百姓的财富，做到真正的"藏富于民"，这才是提振中国经济的正确路径。

第四章　世界银行、国际货币基金组织："新帝国主义"左右手

2012 年的世界银行，送走了高级副行长林毅夫，迎来了新行长美籍韩裔的金墉。看上去亚洲面孔在世界银行受到了越来越多的礼遇。但是，不管是林毅夫，还是金墉，他们所起的作用其实和郭晶晶、姚明一样，就是形象大使。他们出任世行高位的目的，不是为了完成重大任务或者重大目标，而是为了挽救它近年来日益衰落的国际形象。与此同时，国际货币基金组织（IMF）也在逐渐成为美国攻击我们汇率问题的武器。这个所谓"公平"的国际组织，为美国搭建平台，纠集更多国家对人民币升值施加压力。在我们经济社会发展的过程中，这两大国际组织实在让人头疼。

一、IMF 真面目：强权代言人

2013 年 7 月 15 日，国家统计局发布了上半年的 GDP 数据。数据显示，2013 年前 6 个月我们的 GDP 增速放缓至 7.6%，去年的这个数字是 7.

8%。一般情况下，一国经济增速放缓的连锁反应之一就是本币贬值，但我们看到的是什么呢？截至2013年5月份，人民币兑美元的实际汇率已经连续8个月环比上涨。而且，在这段时间里，我们的人民币还是唯一对美元升值的发展中国家货币，其他像是印度、土耳其这些国家，因为本币兑美元贬值太快，政府甚至出手进行干预。我们的汇率为什么这么不合常理地猛涨？

告诉各位，这和美国有直接关系。为了重塑制造业，我一直在说，美国正在透过一切手段向中国施压，让人民币升值，让"中国制造"出口到美国的价格丧失优势，把市场让给美国本土企业。

2010年美国前财长盖特纳突然访华，来之前就放话说"人民币升值与否，取决于中国"。他的意思其实就是说中国在操纵汇率，以此向中国施压。坦白讲，2010年年初，来自国际的压力确实不小，在盖特纳离开2个月后，我们就重启了汇率改革。从2010年6月19日到9月2日，人民币兑美元在刚刚开启汇改的两天内就升值了0.4%。坦白讲，这个结果已经算是我们作出的重大让步了，但美国显然不满意。美国想要的更多，在2009年，美国彼得森国际经济研究所发布的报告说，人民币兑美元要升值40%才"合理"。一年之后的2010年10月，《华尔街日报》报道说，美国财政部"很厚道"，只要求中国把人民币升值20%。

为了迫使人民币升值，美国用尽一切有可能达到目的的手段，它还透过国际组织向中国施压。2010年10月，国际货币基金组织在华盛顿召开国际货币与金融委员会（IMFC）会议，在这次会议上，IMF前总裁卡恩提议说"组织主要成员国就汇率问题和影响汇率的经济政策举行会谈"，意图很明显，就是要搭建一个平台，给更多国家更多机会，抨击中国的汇率问题。

但是各位，我觉得美国和 IMF 指责人民币汇率被低估的理由很搞笑。它们是这样说的，"中国的巨额贸易顺差一定意味着人民币被大幅低估；因为中国操纵汇率，所以中国货无处不在，以至于打击各国的制造业，造成世界就业恢复和经济复苏都很困难"。意思是说，因为人民币被大幅低估，所以中国才有巨额的贸易顺差。这个理由看上去没有什么大的问题，对吧。但是，各位晓得吗？70 年前，当美国是贸易顺差大国的时候，IMF 的理论竟然是和现在完全相反的。

20 世纪 40 年代的时候，美国的出口是一家独大的，IMF 研究部的雅克·波拉克（Jacques Polak）在 1948 年研究墨西哥货币贬值的时候涉及了一个重要理论，叫作"国际收支调节吸收理论"，他认为"出口国货币贬值是无效的，因为收支逆差的原因是进口国过度投资和过度消费"。他的意思其实是说，之所以产生国际贸易逆差，是因为逆差国家消费太多，都是逆差国家自己的错。所以那个时候的美国完全是"我顺差，我光荣"。但是现在，中国贸易产生了巨额顺差，美国就很不爽，它认为这是顺差国家的错，是中国操纵汇率，人为低估了人民币，于是动员包括 IMF 在内的各方势力，对中国施压，让人民币升值！各位看到了吧，IMF 在对待中美贸易逆差问题上，态度截然相反，我不得不怀疑 IMF 是和美国一伙的。

不仅如此，美国还透过 IMF 对其他国家实行打劫，而且类似的事情不止发生一次。我给各位举个例子，1997 年的时候，亚洲爆发了非常严重的金融危机，韩国为了保护韩元，希望日本帮忙。但是当时的日本也已经陷入

危机，自顾不暇。韩国没办法，就向 IMF 求助。最后，IMF 答应给韩国 570 亿美元的援助，但是附带了两个条件：一是要求韩国上调利率，韩国贷款利率一度达到30%；二是要韩国的金融业全面开放。

各位晓得这两个条件有多苛刻吗？我跟各位分析一下，首先，韩国提高利率，就意味着从银行借钱的企业要还高得多的利息。这就导致本来就不景气的企业，因为还不起钱，只好倒闭。据统计，在之后的 7 个月内，韩国有 2.5 万个企业倒闭，失业人口达到了 200 万人，各位要晓得，那个时候韩国的劳动力一共才 2000 万人。然后，我们再看看第二个条件——韩国金融业的全面开放。这个后果是非常严重的，因为金融业一旦全面开放，外资就会大量涌入。我们可以透过一组数据对比一下，20 世纪 90 年代中期，也就是亚洲金融危机爆发之前，外资控制韩国股市的比例只有10%；但是，到 2004 年，这个比例涨到了44%。到了 2008 年，韩国银行业外资持股比例竟然已经高达73%。

可以说，IMF 开出的条件，完全是"休克疗法"，它让韩国的金融业惨遭外资低价洗劫。就拿韩国第一银行来说吧，1999 年，这个银行在金融危机里已经损失了 10 亿美元。金融业完全对外开放以后，美国一个叫新桥资本的私募证券投资基金站出来说，它愿意出 5000 亿韩元（在当时相当于4.35亿美元）收购韩国第一银行 51% 的股份。这笔交易成功后，新桥资本获得了韩国第一银行全部的管理权。到了 2005 年，新桥资本把手里的韩国第一银行股份倒手卖给了渣打银行，卖的价格高达 34 亿美元，相当于买进价的 7.8 倍。新桥资本从中狠狠地赚了一笔。我们可以再回顾一下这整个过程，不难发现，IMF 完全是在给美国打前锋。

国际货币基金组织（IMF）是政府国国际金融组织。它的资金来源于各成员国认缴的份额。基金组织是按各个成员国相对的经济地位分配份额的，其所拥有的份额大小表明了该国参加基金组织的程度度，弱时也反映了该国在国际经济关系中的地位，它的份额持有数决定了该国在基金组织按标权的多少。IMF 成员占有多少份额是由 IMF 计算的，主要取决于各国国民收入、黄金和外汇储备、进出口贸易等等经济指标。

各位是不是很奇怪，IMF 为什么要这么做？其实，问题也没有那么复杂。就是因为美国不仅是 IMF 最大的金主，而且还在 IMF 里拥有"一票否决权"。在 IMF 里，一个国家占份额的多寡，决定了这个国家话语权的大小。那我们可以先看下 IMF 在 201 1 年公布的份额分配，占 IMF 份额最高的五个国家分别是美国（占份额 16．74%）、日本（6．01%）、德国（5．87%）、英国（4．85%）、法国（4．85%）。中国排第六，占有 3．65% 的份额。看上去，如果投票做一个决策的话，好像避免了一家独大的可能对不对？可是，IMF 还有一项规定，说特别重要的决议必须获得 85% 以上的支持才能获得通过。我们把这两个条件放在一起看的话，就很有意思了。因为美国自己拿着 16．74% 的份额，这就意味着只要美国投了否决票，那么任何决议都不可能通过。

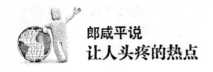

二、世界银行："新帝国主义"的侵略工具

在大多数人的眼中，世界银行是一副超级英雄的形象。它最初的使命是帮助二战时期被严重破坏的国家进行重建。现在的任务则变成了主要帮助发展中国家克服贫穷，提高人民的生活水平。近年来，总部设在美国华盛顿的世界银行，其高层不断迎来亚洲面孔，韩裔医学专家金墉更是当选了新任的世界银行行长。这样一来，世界银行的形象就变得更加的亲切了，但是世界银行的真面目当真如此吗？它的几任行长更迭又透露出怎样的玄机？创建世界银行的真正目的究竟是什么呢？

美国还有另外一个帮手，就是世界银行。我们从历任世界银行行长的背景就能看出问题来。我们先看下在金墉之前的几任行长都是些什么人。金墉的前任、第十一届行长佐利克，是美国首席贸易谈判代表，代表的是美国的产业资本，他还曾经担任过高盛的副董事长，这又代表了金融资本。第十届行长沃尔福威茨，他是美国国防部副部长，也就是伊拉克战争的总策划，代表的是军火贩子。第九届行长叫作沃尔芬森，他是华尔街有名的投资银行家，代表的是金融资本的利益……所以说，世界银行留给我的印象就是：产业资本、金融资本和军火贩子的利益代言人。

那世界银行又是如何为利益集团服务的呢？我们先说产业资本。一个国家要想向世界银行借钱的话，世界银行是不会随便借给你的，基本都是有附加条件的。比如说，一个国家要向世界银行借款搞投资，那你就必须做国际投标，而且规模要超过 1000 万美金，同时还要在联合国的《发展商业报》上刊出所有的详细规划。这都不算重点，重点是，这整个投资项目中的设计、设备采购，以及最后的合同验收这三个最重要的环节，要由世界银行掌控。各位晓得这意味着什么吗？我给各位举个例子吧，就说印度，它为了投资已经向世界银行借过很多次钱了。世界银行就透过项目的设计环节，把印度需要购买的机器设备的规格设计得非常复杂，非常高科技，到最后你发现，只有美国和德国的机器才符合标准，印度的机器根本就用不上。各位看到没有，透过世界银行给印度的贷款，美国企业和德国企业的产业资本顺利进入了印度。

还有印度尼西亚。1997 年亚洲金融危机的时候，重灾区之一的印度尼西亚向世界银行和国际基金货币组织求援，这两个组织倒是都同意提供贷款，但是提出了一个条件，就是让印度尼西亚加快国企的私有化进程，说白了，就是要让大量外资企业进入它的经济体系。印度尼西亚政府没有办法，就听从这两个组织的建议，把效率低下的水利服务拿出来进行市场化改革，把首都雅加达的公营供水系统交给合资企业来运营。然后就是，透过这种合资的方式，欧洲的苏伊士公司和泰晤士公司打入了印度尼西亚。我不止一次表达过我的观点，自来水这种东西是和老百姓直接相关的国计民生行业，你怎么能私有化呢？我想，这个道理印尼政府不是不知道，因为在 1997 年亚洲金融危机之前，欧洲的公司曾经和印尼政府谈判，说它们要收购雅加达的自来水公司，结果并没有谈成。而现在，透过世界银行，欧洲公司轻轻松松

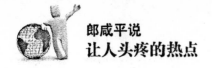

就达到了目的，实现了产业资本的侵略。

说完了产业资本，我们再来说说金融资本。我要告诉各位的是，世界银行贷款给所有国家的时候，对于世界银行来讲是没有风险的。这是因为第一，你今天向它借什么货币，你将来就还什么货币，这样世界银行就不用承担任何汇率风险。第二，没有哪个国家敢赖账。如果你向它借了钱不还，那欧美的三大评级机构——标准普尔、穆迪和惠誉，就会给你降低评级，让你这个国家的外债变得一文不值。哪个国家愿意这种事情发生呢？所以说，也不存在信用风险。这么说来，世界银行放贷的风险是全世界最低的。

除此之外，世界银行还是一个稳赚不赔的组织。正是因为世界银行的风险全世界最低，所以它的评级向来都是很高的。那它发债券的时候，利息就非常低。低到什么程度？它发行人民币债券的话，利率是0.95%，比我们中国财政部发行的债券利率还要低。发行美元债券的话，利率是2%，而美国财政部发债的利息也要4%左右。世界银行拿到这么低利率的借款之后会立刻转贷出去，这样就可以拿到平均6.3%的利息回报率。

我国目前利用世界银行贷款的项目多教选择使用可变利差美元浮动利率贷款。各贷款品种的对应价格表详列如下：

自 2009 年 8 月 5 日起执行的浮动利率贷款价格

	可变利差	固定利差		
		10 年及以下	10 年以上至 14 年	14 年以上
合约利差	+0.50%	+0.50%	+0.50%	+0.50%
市场风险溢价	-	+0.10%	+0.10%	+0.15%
融资成本利差	-0.33%	+0.30%	+0.55%	+0.75%
美元贷款利率	LIBOR+0.17%	LIBOR+0.90%	LIBOR+1.15%	LIBOR+1.40%
欧元贷款利率	LIBOR+0.17%	LIBOR+0.90%	LIBOR+1.15%	LIBOR+1.40%
日元贷款利率	LIBOR+0.17%	LIBOR+0.80%	LIBOR+1.05%	LIBOR+1.30%
先征费	0.25%			

来源：中华人民共和国财政部。

世界银行还有一个优势，它不像华尔街那样急功近利，之前形象一直都很良好，很多时候，它都是以一种"救世主"的面目出现的。所以，很多国家和组织并没有对世界银行产生警惕。正是由于这个原因，很多欧美国家资本进不去的地方，世界银行就能轻轻松松地进去。

其实，世界银行一直在透过各种办法向全世界进行投资，这一点和华尔街的投资银行没什么差别。比如说高盛，各位还记得吧，高盛曾经收购过双汇、泰康、西部矿业、雷氏照明等二十多家中国公司的股权。那世界银行也透过它旗下的国际金融公司 IFC，进行过类似的投资和收购。IFC 向河南省内乡县的牧原食品公司进行过 1000 万美金股权投资，向中国最大的玉米加工厂——西王糖业投资过 2000 万美金。除此之外，世界银行还透过 IFC 向我们的上海银行、南京银行、新华人寿、锦湖轮胎、大自然地板等企业都进行过投资。同时，世界银行对于一些再生能源项目也非常感兴趣，它曾经投

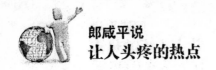
资 3 亿美金给中国的垃圾发电、风力发电和水电等项目。

说到这里，各位发现了吧，世界银行所做的事情，和我们想的完全不一样。它根本不是简单地帮助落后国家做一些基建、疾病预防、治疗，而是像华尔街的公司一样，透过股权投资向全世界各个它感兴趣的企业、行业进行投资。各位想想看，如果是华尔街的公司来投资，我们可能会有所警惕，比如华尔街的公司买了我们国家的企业，我们还会有点担心。但对世界银行的投资，我们担心过吗？

最后，我们再说说世界银行如何代表军火贩子利益的。我就拿第十届世界银行行长沃尔福威茨来说吧，他曾经担任过美国国防部副部长，也是伊拉克战争的总设计师。在沃尔福威茨担任行长的时候，就曾经以所谓的反腐败为名，对乍得、刚果和肯尼亚这三个国家断绝过贷款。而且，在 2005 年 9 月，沃尔福威茨在没有经过世行董事会讨论的情况下，独自决定停止对乌兹别克斯坦的贷款。各位晓得为什么吗？就是因为当年 7 月，美国空军想利用乌兹别克斯坦的飞机场轰炸阿富汗，被乌兹别克斯坦拒绝了，美国很生气，于是就透过世界银行，对乌兹别克斯坦进行经济制裁。这个事件在当时闹得很大，导致很多国家都对世界银行表示质疑，世界银行的形象严重受损。到了金墉的前任，也就是第十一届世界银行行长佐利克时代，世界银行已经可以称得上臭名昭著了。

三、同"新帝国主义"打交道要当心

就是在这个时候，世界银行找来了林毅夫，让他担任高级副行长，还兼任首席经济学家。之后，又找来了金墉担任世界银行第十二届行长。透过调查我们发现，这两个人身上既没有产业资本的影子，也没有金融资本的影子，更谈不上什么军火贩子。这个很重要，因为世界银行急切需要透过这些，来改善它已经变得很差的国际形象。

坦白讲，很多人对林毅夫曾经抱有很高的幻想，认为林毅夫在世界银行的时候，应该为中国做点什么。现在，林毅夫离任了。透过他在任的这几年，我们发现他并没有做出什么特别大的贡献，于是感觉很失望。现在，还有很多人对金墉担任世界银行行长抱有幻想，觉得作为亚洲人，他应该会对亚洲国家有一些特殊照顾吧。那么，我告诉各位，别太天真了，因为不管是金墉也好，林毅夫也好，他们的任务只是和郭晶晶、姚明一样，做的是"形象大使"的工作。世界银行之所以要用这些亚洲面孔，并不是像媒体说的"象征着世界银行把重要目标放到了亚洲"，而是为了挽救它这几年日益衰落的国际形象。

世界银行这一次为什么选择金墉呢？我们看看金墉的背景就晓得了。1982 年，他先是在布朗大学拿到了文学学士学位，然后又去了哈佛大学，在 1991 年和 1993 年分别拿到了医学博士学位和非常特殊的人类学博士学

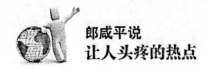

位。曾经在哈佛求学的人应该都晓得，能在哈佛拿到"双料博士"是非常不容易的。同时，金墉是一个非常有理想的人，他在哈佛求学的时候做过一件了不起的事，1987年他在哈佛发起了一个非营利组织，叫作"健康伙伴"，这个组织让海地的老百姓花大概150～200美金就能看好结核病，而这些钱只相当于美国治愈这个病费用的1%而已。在金墉读完第二个博士的时候，这个组织已经扩展到了12个国家，雇用人数超过1.3万人，直接受到这个组织照顾的病人超过了10万，其中非洲大约有7万。除此之外，金墉还曾经在哈佛大学医学院教过书，并担任了世界卫生组织艾滋病部的部长。因此，对于拉美、非洲的人民来说，金墉简直就是一个救世主，形象好得不得了。再加上他和林毅夫一样，都有着黄种人的面孔。这两个条件对于提升世界银行在亚洲的形象简直太重要了，一下子就把亚洲、非洲和拉丁美洲的人民"一网打尽"了。这才是世界银行选金墉和林毅夫的原因所在。所以，我们不能怪林毅夫在这几年任期中，没有给我们国家带来什么实惠。当然，也不要期望金墉会做什么事，因为世界银行的本质从来没有变过。

最后，我还想提醒各位一下。我们政府现在正在大力提倡自主创新，为了鼓励企业，我们在项目采购的时候，会刻意对国产品牌倾斜，坦白讲，我非常支持政府的做法，而且也希望政府能一直继续下去。但让我担忧的是，我们政府的这一行为，却在国际上遭到了很多批评。我们有些人怕因此被WTO制裁，于是提议要拿出一些政府项目搞国际招标。我告诉各位，这绝对没有必要的。我们团队专门花时间研究了WTO的《政府采购协定》，也就是GPA，GPA有一项规定说"任何签约国必须无条件地对其他任何签约国的产品开放所有的政府采购"。但是，这个 GPA 是 WTO 成员自愿签署的，也就是说，只有你加入了，才对你有效。我们中国也一直想加入这个协议，从 2007 年起我们已经提交了 4 次申请，但是都没有通过。没有通过的理由是，欧美国家觉得我们政府采购的开放力度还不够大。

透过以上对 WTO 和世界银行的分析，我认为我们应该重新审视这个问题。首先，正是因为我们现在还不是 GPA 签约国，所以我们完全可以光明正大、白纸黑字地在政府采购上要求必须买国货。支持民族产业的发展，没有必要遮遮掩掩的。另外，我呼吁政府不要为了加入这个组织，做太多的牺牲，到最后发现得不偿失。

第五章　解决中日冲突，对话和贸易打击两手都要硬

中日两国因为历史积怨极深，两国关系一直是个让我们纠结头疼的问题，而这两年的钓鱼岛争端让矛盾再度升级。

那么目前中日钓鱼岛争端的核心问题到底是什么？是什么让争端迟迟难以解决？除了军事打击，我们是否有更好的、更长远的解决国际纠纷的方法？

一、中日老百姓同说钓鱼岛，认知天差地别

2012年4月，时任日本东京都知事的石原慎太郎在美国访问时突然抛出"购买钓鱼岛"言论，引发中日两国冲突。此后冲突不断升级，特别是中国老百姓除了通过游行、拒买日货等激烈手段给予反击外，还希望中国政府在过去一贯的"严正声明"的基础上，给予对方军事打击。与此同时，日本的安倍政府不断作出挑衅行为——修宪将"自卫队"改成"国防军"，

不同意"搁置钓鱼岛议题"的说法等。

2013 年 4 月初，在海南举行的博鳌亚洲论坛上，我们新上任的习近平主席出席论坛，并和 30 多位中外企业家进行了一次 1 小时左右的对话。这其实是在用行动向外界发出一个信号——我们的政府渴望和外界沟通，渴望了解各方的看法和想法。不晓得各位注意到一个细节没有？就是这次博鳌论坛理事会的理事长是日本前首相福田康夫。我非常好奇，在中日关系因为钓鱼岛事件变得这么紧张的时候，我们的习主席和福田康夫两个人会不会沟通一下对钓鱼岛问题的看法。

在论坛开始之前 3 天，福田康夫曾经和日本媒体说过："当前钓鱼岛局势非常危险，容易发生不测事态；呼吁中日新领导层尽快会面，举行首脑会谈。"坦白讲，我非常赞成福田的说法，我们两国政府应该理性面对钓鱼岛争端，应该好好了解一下对方政府和老百姓的看法和想法。根据我的观察，我们两国之间之所以存在这么多分歧，是因为根本不了解对方，既不了解对方为什么这么做，也不了解对方是怎么想的。

如果你叫一个中国普通老百姓，再叫一个日本普通老百姓，让这两个人面对面讨论一下钓鱼岛问题，各位晓得会怎样吗？我告诉你，他们到最后肯定说不下去，因为双方对钓鱼岛历史的认知完全就是天差地别。就拿钓鱼岛事件来说吧，日本老百姓觉得钓鱼岛"一直都是由日本持有"。他们知道的所谓"真相"是这样的：中日甲午海战之后，日本政府在 1896 年把钓鱼岛"租"给了日本的古贺家，1932 年又把"业权"卖给了古贺家，但是他们好像还是要向日本政府缴纳资产税。1972—1988 年，古贺家又陆续把钓鱼

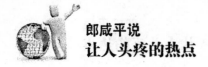

岛的"业权"转赠给了栗原家，然后换成日本政府成了"租客"。日本政府先是在 1972 年租下了钓鱼岛的附属岛屿黄尾屿，然后又在 2002 年租下了其余各岛，这之后"私人产业全部变成了日本政府使用"。所以说，在日本老百姓看来，钓鱼岛的归属问题很清晰，就是日本的。

那我们中国的老百姓肯定不会同意啊，我们都晓得钓鱼岛本就是中国的领土，只不过因为 1895 年的一纸丧权辱国的《马关条约》，被日本窃取。二战后，根据《开罗宣言》和《波茨坦公告》，日本将钓鱼岛等岛屿归还给中国。对于中国老百姓来讲，钓鱼岛的归属问题是无可争议的。可是现在呢，明明是日本人做错了事，为什么还敢这么理直气壮地说要"购岛"呢？

各位看明白了吧。中国的老百姓和日本的老百姓吵来吵去，发现根本不是一回事。但是，这并不妨碍两国老百姓在钓鱼岛事件上对本国政府施压。还是先说日本人，这一次两国在钓鱼岛问题上冲突升级，最直接的导火索就是因为一个已经 80 岁的日本老头叫石原慎太郎，他是日本有名的右翼保守政治家，2012 年 4 月，他还是东京都知事，也就是东京市的市长，他在美国访问期间突然说东京市政府决定凑钱把钓鱼岛从栗原家买回来。这件事直接导致了中日关系紧张。石原这个论调的意思就是："钓鱼岛一直是日本的，只不过要从家族手里转到政府手里，总之不是中国的。"日本老百姓呢，就像我上面说的，他们虽然觉得钓鱼岛是日本的，但是大部分人并不赞成石原这种极端的购岛行为。

2012 年 10 月的时候，日本共同社公布了一个调查结果，问题是"日本政府在钓鱼岛和独岛问题上，应该如何应对"，日本有 52.7% 的人回答

"应控制在不影响经济等的范围内"。这相当于是说，一多半日本人觉得日本政府在和中国争夺钓鱼岛主权的时候，应该把事件稳定在可控范围内。说得更直白点，就是既要"明确钓鱼岛是日本的"，又要让中国人不反感日本。为什么？因为中国在当时是日本的第一大出口国，他们希望中国人能买更多的日本产品。我给各位看一组数据，2008年全球经济危机爆发之前，美国是日本的最大出口国。全球性经济危机之后呢？2009年上半年，美国从日本进口38575亿日元的货物。但是在同样的时间里，中国从日本进口的货物达到了44～45亿日元左右，中国取代美国成为了日本最大出口国。

日本的"购岛"行为让中国的老百姓非常生气，结果我想各位都晓得了，中国老百姓游行坚决反对日本的行为，并且抵制日货，给日本经济沉重打击。在2012年中国多地爆发的反日游行中，日本企业的损失超过100亿日元，差不多是7.8亿人民币。另外，在我们抵制日货的几个月里，日本的丰田、本田公司在中国不得不减少生产。截止到2012年9月，日本在华汽车厂减产了1.4万辆汽车，至少造成2.5亿美元损失。

二、日本政府自私自利。将一己之私 凌驾于中日两国利益之上

说完了中日老百姓之后，我们再说下中日两国政府在钓鱼岛问题上的看法。首先，两国政府都非常了解本国老百姓的想法，虽然它们之间也存在分

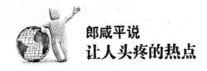

歧，但和两国老百姓相比，两国政府至少能把分歧集中在一件事上，就是福田康夫建议的——两国政府首脑要理性，要会面协商，要给钓鱼岛的归属问题找出一个至少是短期可行的说法，别再这么僵持下去了。也就是说，和两国老百姓"完全没得商量"，吵架都吵不到一起去的态度不同，两国政府至少具有沟通的意愿。

坦白讲，2012 年夏天中日钓鱼岛事件急速升级，在当时还是日本首相的野田佳彦来看，完全是意料之外的。为什么？因为日本人引发钓鱼岛争端已经不是一次两次了，日本政府从 20 世纪 90 年代开始就默许他们的右翼团体到钓鱼岛上建灯塔、立界碑，而且派军舰阻止中国大陆和台湾渔民在钓鱼岛附近捕鱼，甚至还阻止我们的军队在这个海域进行军事演习。但是野田没想到的是，这一次我们的政府不再只是"严正抗议"，而是突然揪住石原的不当言论，进行了强烈反击，还派出渔政船和海监船。也就是说，中国由之前的被动一下子变为主动了。

中国忽然转守为攻，为什么？这是因为，过去中国和日本之间在钓鱼岛问题上是有共识的，就是有争议，但搁置争议，不讨论。可是日本近些年开始推行一个政策，就是安倍在 2013 年 5 月份说的，根本不承认这个争议，认为"钓鱼岛就是日本的"，没有什么可争论的。4 月 5 日，日本政府还在内阁会议上通过了 2013 年版《外交蓝皮书》。这个蓝皮书声称"钓鱼岛不存在任何的主权纷争"，而且还强调说日本的领海、领空"正在面临着更多的威胁"。日本的挑衅日益升级，中国必须由被动转为主动，这就是中国政府现在的态度。

再说说日本政府，各位晓得吗？日本政府内部的意见其实是不统一的。先说日本首相，2012 年中日钓鱼岛问题升级的时候，日本的首相是野田佳彦，他先是在 2012 年 7 月公开支持日本议员登钓鱼岛，并且说"最快要在 9 月实现钓鱼岛'国有化'"；然后又在 11 月举行的亚欧首脑会议上搞什么"首脑外交"，逢人就说钓鱼岛的问题，最后其他人都受不了他了，还给他起了个外号，叫"国际祥林嫂"。

野田在 2012 年 12 月正式下台，接替他的是安倍晋三，那他又是个什么样的人呢？告诉各位，就是安倍组建的内阁通过了这份所谓的《外交蓝皮书》，所以很不幸地告诉各位，他也是个对钓鱼岛"势在必得"的人。举个例子，2013 年 1 月 31 日，他在接受国会质询的时候说："要在钓鱼岛问题上保持强硬立场。"但是安倍又是个很会琢磨日本老百姓心理的人，他在购岛态度强硬的同时，还希望和中国保持"互惠的经贸关系"。为什么？因为中国老百姓抵制日货的后果直接体现在日本全年 GDP 总量上了。根据日本财务省发布的数据，日本 2012 年全年对华出口大约减少了 1 万亿日元，这导致了什么后果呢？就是日本的全年 GDP 要损失掉 8200 亿日元，相当于 84 亿美元。

我们再说说一个特殊人物，就是前日本驻华大使丹羽宇一郎。2012 年 6 月，他在接受英国《金融时报》采访的时候说："石原慎太郎主导的'购买钓鱼岛'这件事，会给中日两国关系带来重大危机。"也就是说，丹羽认为日本"购岛"这件事本身就是错的。这个丹羽因为这件事被撤职了。回到了日本之后，他又发表演讲，批评日本政府的"购岛"做法不妥当，"导致

了中日关系陷入低谷"；而且他还特别强调说，日本政府为了在国内拉选票，关于钓鱼岛事件的说词都太偏激，完全不照顾其他国家的想法。

坦白讲，我觉得丹羽宇一郎这个人是目前日本政府里脑筋最清楚的。他在叙述中日钓鱼岛争端的时候非常理性，毕竟战争对谁都没有好处。对于如何解决中日两国目前的紧张关系，他提出了三点建议：第一，停止非黑即白的争论；第二，承认钓鱼岛存在"主权争议"；第三，两国政府就如何解决钓鱼岛问题和改善关系展开谈判。什么意思呢？就是说要日本政府收回最近几年搬出的"不承认争论"这个无理举动，退回到过去两国"搁置争论，共同开发"的时期。如果把丹羽的话翻译得再直白一点，就是说日本的经济这么低迷，都已经要靠印钞票来给经济打强心针了，（日本）政府你在这个时候不想办法提振经济，反而提出"购岛"招惹中国这个日本最大的出口国，你是不是脑子坏掉了？那么，日本政府到底有没有听进丹羽的意见？很遗憾，到我写这篇文章的时候还没看到日本政府有什么新的举措，安倍领导的日本政府依然非常强硬地表示"没有谈判余地"。

透过以上分析我们发现，现在其实是一个由四方组成的"囚徒困境"。什么是"囚徒困境"呢，就是说，警察抓住了甲乙两个嫌疑犯，分别关在不同的屋子里接受审讯。警察知道两人有罪，但缺乏足够的证据，他告诉两个人：如果两人都抵赖，各判刑 1 年；如果两人都坦白，各判 8 年；如果两人之中一个坦白一个抵赖，坦白的放出去，抵赖的判 10 年。对于甲来说，如果乙选择抵赖，自己也抵赖，就会被判 1 年，但如果选择坦白就可以直接被放出去；如果乙选择坦白，那他如果抵赖就会被判 10 年，如果选择也坦白，就会判 8 年。所以对于个人来说，不论对方怎么选，自己选择坦白都是最优选择。结果就是甲乙都选坦白，各判 8 年。但其实集体利益最大化的选择结果应该是两人都抵赖，各判 1 年。囚徒困境反映出的深刻问题是，人类太顾及个人利益，而在集体利益博弈中自作聪明，最后导致整体失利、作茧自缚。

在钓鱼岛问题上，陷入"囚徒困境"的四方就是日本政府、日本老百姓、中国政府、中国老百姓。日本政府为了在国内拉选票，执意再次挑起钓鱼岛争端。日本老百姓比较务实，既坚持钓鱼岛是日本的，又想跟中国做贸易。中国政府转守为攻，一边作好军事行动的准备，一边积极推动协商。而中国老百姓，出于对日本人的一再挑衅，表示非常愤怒，对政府不断施压，希望透过军事行动明确钓鱼岛的归属。梳理清楚这些不难看到，只有这四方相互协调与妥协，让几方关系变成最优搭配，才能实现集体利益最大化。如果单方面将自己的利益凌驾于集体利益之上，那么全体的利益都将受损。但我们现在看到的日本政府就是一个片面追求自己利益最大化的个体，这样做的后果，就是把其他三方——中国政府、中国老百姓、日本老百姓——往冲突的泥潭里拖。最终的结果肯定无法做到集体最优。

三、展开广泛对话 & 贸易战打击

那么，要怎么解决"囚徒困境"呢？其实丹羽宇一郎已经给出了答案，

就是两国继续搁置争议，然后展开对话，弥合两国首脑之间的分歧。中国政府的态度从过去的"严正申明"，到现在采取各种行动"护岛"，这种转变已经非常明确地表明了中国政府的态度，就是"钓鱼岛是我们的"，这一点日本政府必须明白；再看日本政府，最近几年频繁换首相，上来一个新首相就有一套新说法，有的和前任观点还有冲突。就是这么一个混乱、摇摆不定的外交状况，谁都很难对日本政府的外交政策和能力有信心。所以如果中日两国首脑能够展开对话，日本政府应该在之前先把其他三方的想法搞清楚，同时也要站在一个长远的、可持续的思路上把自己的想法搞清楚，这样双方才能开展有效的沟通。

说实话，对于中国政府从被动到主动的转变，我是非常赞同的。过去邓小平提出"韬光养晦"，那是因为我们的经济在 20 世纪 80 年代完全是百废待兴，为了营造稳定的外部环境，先让老百姓过上物质富足的生活，必须要在一些国际争端上"不争论"，尽量避免发生军事上的冲突。但是，即使是在邓小平时代，我们还是在 20 世纪 70 年代末对越开展了自卫反击战。当时，我们感到外部环境因为越南的影响而产生波动了，之后，邓小平就出访美国还有东南亚多个国家，透过广泛、开诚布公的沟通，非常直白地讲清楚中国的底线，和各国达成共识后出兵越南，之后换来了中国稳定的外部环境，并且让中国经济保持了一个长达 30 年的增长周期。

在 2013 年 4 月的博鳌论坛上，习近平主席就在主旨演讲时明确表示："不能为一己之私把一个地区乃至世界搞乱，各国交往频繁，磕磕碰碰在所难免，关键是要坚持通过对话协商与和平谈判，妥善解决矛盾分歧，维护相互关系发展大局……中国将继续妥善处理同有关国家的分歧和摩擦，在坚定捍卫国家主权安全、领土完整的基础上，努力维护同周边国家关系和地区和平稳定大局。"

现在，我们经济水平已经远远超过 20 世纪 80 年代，我们还是会"韬光养晦"，还是希望能首先透过协商解决问题，但绝对不会"不断忍让"。习主席在博鳌论坛上的这段讲话，让世界尤其是日本搞清楚我们的底线。就像我上面讲的，日本前驻华大使丹羽宇一郎公开批评石原慎太郎"购岛"行为之后，日本中央政府不但没有刻意和石原的"购岛"行为划清界限，丹羽反而受到了日本外相的批评，并被召回。各位应该晓得，作为驻华大使的丹羽应该是很了解中国的底线的，知道这种所谓的"购岛"行为一定会惹怒中国政府和中国老百姓，让本来就经济低迷的日本雪上加霜。同时，我也相信，丹羽的看法绝对不是个例，应该也代表了很多日本老百姓的想法。日本政府之所以要这么做，完全是图一己之私，让中国政府和老百姓，以及日本老百姓，和它一起在"囚徒困境"中集体受到损失。

当然了，我不是军事家，也不擅长分析政治，对于如何实行军事打击，如何搞外交，我没有过多的想法。但是，作为一个经济学家，我想给我们政府提供一个新的思维，就是透过贸易战的方式对日本进行打击，将贸易战与国防、外交手段配合使用。坦白讲，如果发生军事冲突，就会有流血事件发生，所以，我们还是要尽量避免。我们应该学会不断地透过贸易战来打击日本。

我在前面的中美贸易战里面提到过用贸易战来打击美国，那么在打击日

本的时候，我们同样可以使用贸易战。目前，我看到的情况是，我们确实动用了一些贸易手段，但是方法不对，没有抓住日本的软肋。

我们回顾一下2010年发生的中日冲突。当时，日本军舰在钓鱼岛海域撞击我们的渔船，并且还诬陷我们的渔船违规作业，逮捕了我们的中国船长，中日冲突爆发。在这一次的中日钓鱼岛争端发生不足一个月时，日本贸易商发现他们没法从中国进口稀土了。各位晓得，稀土又叫"工业黄金"，军事武器、冶金、石油化工、玻璃陶瓷，还有很多新材料的生产都要用到稀土，所以，稀土资源对日本来讲很重要。一直以来，日本都是中国稀土最大的需求国和进口国。

日本在钓鱼岛海域公然挑衅后，我们透过稀土贸易确实达到了对日本的经济制裁，但是我们的方法用错了。我在中美贸易战一章中也提到了，我们是透过使用配额的手段来抑制稀土出口，让日本贸易商买不到。但是，因为使用配额制是被世界贸易组织（WTO）禁止的，所以，当我们在2010年和2011年多次使用配额制限制稀土向美国、欧盟和日本出口之后，这些国家和组织就向WTO提起诉讼，告我们使用配额制违反WTO协议。

那么，我们用什么样的贸易战才能达到制裁日本的效果呢？其实和对付美国一样，抓住日本的软肋。而且日本的软肋和美国一样，也是农业。各位应该都晓得，日本的耕地面积非常有限，1997年的时候，大概只有5.6万平方公里，国内生产出来的粮食连老百姓一半的需求都满足不了，而且绝大多数种植的农产品还要靠高价进口的肥料、农药等才能养活，所以日本种粮食的成本是很高的。按理说，日本本土不具有种粮食的比较优势，那应该停止种粮，然后全部直接进口外国的便宜粮食。但是，出于国家安全的考虑，日本又必须全力支持发展农业，所以要实施农业保护政策。目前，日本农业保护政策主要体现在税制、补贴和控制进口三个方面。日本政府对本国农业的补贴到了什么程度呢？我们来看一组数据，根据世界经合组织的调查，2000 年日本政府一共动用 GDP 总值的 1．4% 来补贴本国农业，而当年日本农业产值只为 GDP 贡献了 1．1% 。这相当于说，日本政府对农业的补贴超过了农业产值，也就是说，在日本种粮食是赔钱的，全靠政府补贴才能维持。

还有更厉害的，日本实行的是"基本粮食自给＋进口代替"，什么意思呢？就是说，日本把大米视为基本粮食，要极力实现自给。其他的日本国内生产效率比较低的食品，比如说牛肉、牛奶、禽蛋等，主要依靠进口。日本政府为了保护这种自给，采用了高米价的政策。同时，为了抵制其他国家的大米对本国产生冲击，日本对所有进口大米征收了非常高的关税，关税甚至高达 778% 。其实，我们只要抓住这个歧视性关税，就能透过 WTO 诉讼等平台对日本展开贸易打击，进而在经济上实行制裁，并由日本内部对日本政府进行施压。而事实证明，自日本在 1955 年加入 WTO 的前身 GATF，按照规定逐渐放开了农产品市场，导致日本食物综合自给率严重下降，日本的农业团体和在野党一直在不断地给日本政府施压。

最后我们还是来梳理一下本章内容吧，我其实就是要告诉各位，在对待中日冲突问题上，我们应该首先搞清楚日本政府、日本老百姓、中国政府和中国老百姓这四方的想法，然后再采取行动。我们除了作好国防和外交方面

的准备外，还应该学会活用贸易战，靠经济和贸易手段在复杂的国际纠纷中进行博弈，最终促使日本政府放下一己之私，走向对话和谈判。这样才能走出"囚徒困境"，实现四方利益最大化。

第二篇 让人头疼的改革热点

第六章 魏桥事件：电力改革开倒车

2012年，一则"魏桥电厂勇斗国家电网"的新闻引起人们极大关注。魏桥是一家山东民营企业，它原本为给自己的纺织厂供电组建自备电厂，后来发展成自建电网，把多余的电卖给当地老百姓，电价比国家电网卖的便宜1/3。魏桥电厂在最鼎盛时期可以赚到34%的利润，而与之相反的是，我们的国有电厂每年都在亏损，国有五大电力公司每年都在向政府伸手要补贴、要注资。两者之间为什么会有这么大的差别呢？

一、魏桥电厂：开启电力改革新思路？

魏桥电厂是在 2012 年 4 月底和国家电网闹起来的，我认为这件事的发生不是偶然，应该是长期夙怨的一个发泄，在 2009 年的时候，魏桥电厂就和国网山东电力公司发生过"武斗"。在过去几年里，魏桥的自备电厂提供给附近老百姓的电是每度 6 毛钱左右，如果是工厂大量要电，还能更便宜。那魏桥这个地方的国有电网供的电是多少钱呢？每度 8 毛钱左右。为什么电价差这么多呢？

先说说我们的国有电厂，因为我们国家目前 80% 以上还是靠火力发电，所以大部分都是火电厂，国有的火电厂 2013 年之前都是用低于市场价的计划煤，和比魏桥电厂效率高很多的发电设备，这样一比较，国有电厂的发电成本应该比魏桥这种民营电厂的成本低很多对不对？但奇怪的是，国有电厂却在连年亏损。

究竟是哪个环节出了问题呢？透过调研我们发现，原因在于上网电价太低了。在国有电厂发电到老百姓用上电，这中间还要经过一个环节，就是国有的电网。严格意义上来讲，这个电网所起到的作用就相当于我们平时所说的物流运输，基本没什么技术含量。但是，就这个没什么技术含量的环节，却是整个电力产业链里利润最高的一个环节。那它是怎么做到的呢？

我们首先看下现在国有电网的情况。目前，我们主要有两大电网，一个是南方电网，覆盖的区域为广东省、广西壮族自治区、云南省、贵州省和海南省；另一个是国家电网，覆盖的区域是除南方电网辖区以及内蒙古西部以外的全部地区。

也就是说，由于这两家国有电网垄断了全国电力的配送运输，然后利用这种垄断的优势，以非常低的价格，甚至以低于成本的价格，从国有电厂那买电。最后以每度电高于魏桥大约两毛线的价格，把这些电输送到各地，这中间就产生了巨额的利润。各位看明白了吧，仅仅是经过国有电网从中间一倒手，电价一下子就涨上去了。

我再给各位看一组数据，2010 年的时候，全国主要电网向电厂购电的平均价是 383．89 元/千度，折算下来，每度电 0．38 元，比上一年涨了 0．05％。那我们的电网把这些电再卖给老百姓时，卖了多少钱呢？平均下来 571．44 元/千度，每度电是 0．57 元，比上一年增长了 6．95％。看到了吗？这相当于电网从电厂买来电以后，再一转手就以上涨了 50％ 的价格卖给老百姓。而魏桥电厂正是因为没有用国家电网的电线，而是直接自己拉电网送到老百姓家里，才让老百姓用上了低价电。

遗憾的是，后来，"为积极响应国家节能降耗精神，顺利完成减排目标"，魏桥电厂关门了。我说明一下，我所说的魏桥电厂指的是，魏桥集团旗下上市子公司魏桥纺织所属的滨州工业园热电厂。这个魏桥纺织在 2012 年 6 月卖掉了它的热电厂，卖价不到 7 亿，这里面仅热电设备就值 6．11 亿。各位晓得它 2002 年建厂的时候花了多少钱吗？7．3 个亿，即使不算过去 10 年的通胀率，魏桥纺织也算是把它的电厂贱卖了。然后，就在被卖掉

二十多天后，这个热电厂竟然被拆了。各位是不是也很好奇，是谁买了这个电厂又迅速把它拆了？我们查到了是一家叫中海投资的公司，而这个公司的实际控制人竟然是滨州经济开发区管理委员会，两大股东分别是开发区公用事业管理局和开发区运输服务管理处，都是开发区管委会底下的事业单位。也就是说，这个电厂是被当地政府买来之后又拆除了。在魏桥电厂的原址——我引用一下山东当地媒体的报道——"将被一片拔地而起的高层住宅所代替，又会给蓬勃发展的开发区增添一道亮丽的风景。"看到这个报道，我没有办法想象这片风景到底有多亮丽，而是感觉特别可惜。我很想问问，那些之前低价向魏桥电厂购电的人，是不是今后都只能选择用国家电网的高价电了？

坦白讲，魏桥电厂不是唯一让我觉得可惜的，因为在中国电力改革的过程里，曾经出现过很多个像魏桥电厂一样，曾经让我们看到了希望，然后又被各种各样的力量一巴掌打回去的例子。不过，即使它们并没有完成一种使命，但这些"模式"本身，还有它们在与垄断集团的博弈中爆发出的问题，都是值得我们深思的。像这一次，我就在魏桥电厂身上看到了一些推动电力系统改革的新思路：只有引入竞争，才能让老百姓用上便宜的电。

二、电改十年：到底改了什么？

就像我在前面说的，电网公司把拿到手的电，涨价50%后卖给我们的老百姓，那么它们到底能从这里面得到多少利益呢？国家统计局曾经给电力行业算过一笔账，2010 年前 11 个月，电网实现营业收入 2.19 万亿，占整个电力行业的 65%；实现利润总额 592 亿元，同比增长 1828%，占行业比重是 42%。其实电网暴利也不什么新闻了，我关心的不是这个，而是想请问我们的电网公司，你们拿着这么多钱，为什么还不能保障电力的供应，每年都要搞几次断电或者大面积"电荒"？2012 年 4 月 10 日，深圳突然停电两个小时，有意思的是，我们的南方电网和老百姓一样，都不晓得是什么原因。后来一查，才发现是一个 500 千伏变电站的开关出了故障。那我就挺奇怪的，作为一个这么大的国有电网，平时都不检修吗？事故出了两个小时才抢修好，应急措施做的是不是也太差了？

我们再往前看，2011 年夏天全国出现了大面积电荒。当时浙江、江苏、湖南等南方省市甚至对居民实施了拉闸限电，几十层的楼，把人家的电梯停了，老百姓能不急吗？国家电网的负责人后来是这么解释的，说"这是电力供求关系突然紧张造成的"。为什么会出现这种状况？各位想想看，电网公司左手低价收电，使劲挤压电力公司的利润空间；右手高价卖电给老百姓，然后又透过一切手段把民营、外资火电厂彻底打垮。在这种状况下，对于国有电厂来讲，倒卖计划煤都比发电赚钱，怎么会有多发电的积极性？电厂不愿意发电，不愿意扩大产能，"电荒"当然就来了。

2012 年 6 月，全国各地开始实行阶梯电价，尽管前期召开了听证会，但所有阶梯电价方案的结果几乎都是电费只见涨不见降。而就在 2012 年 5 月份举行的广东居民生活用电试行阶梯电价听证会上，广东省物价局公布了

《广东省居民生活用电定价成本监审报告》。这份报告显示，广东电网员工月平均工资为7418元，而2012一年第一季度广东城镇单位在岗职工的月平均工资仅为3980元，几乎仅是电网公司员工的一半。也就是说，电网公司拿着比普通老百姓高近一倍的工资，还在以电价过低为由，推行阶梯式电价。

我讲的这些过去也有很多人讲过，但是我们的电网公司还在继续大赚特赚。美国自20世纪60年代以来发生过5次大规模停电，停电的原因主要是设备老化、维护不善。那按照我们电网公司的说法，为了防止类似美国停电事件的发生，我们必须加大对电网的投入，以保证电网有足够的利润进行再投资和电网的维护。上面我说到的，深圳断电两小时的事件，还有2008年南方雪灾期间电网瘫痪，不都是在国有电网公司获取巨额利润后发生的吗？那我想请问，那么高的利润都去哪里了呢？

一边是高电价和"电荒"，一边是暴利和高工资，到底是谁养出了这么一只"电老虎"？不用我说，大家都清楚，这都是垄断惹出的祸。其实我们的电力改革从2002年3月就开始了，国务院在当时出了一个"五号文件"，也就是《电力体制改革方案》，定下的总体思路是："打破垄断，引入竞争，提高效率，降低成本，健全电价机制，优化资源配置，促进电力发展，推进全国联网，构建政府监管下的政企分开、公平竞争、开放有序、健康发展的电力市场体系。"

这个"五号文件"到"魏桥事件"发生的2012年，正好经过了整整10年。各位如果回头看看我们的电力改革思路，就会发现我们哪一点都没做到。2002 年之前，所有的电网和发电厂都归国家电力公司一家管，"五号文件"一出，国家电力公司被分成了五大电力公司和两大电网公司。这两张网就是国家电网和南方电网，其中国家电网覆盖全国 26 个省，我们有 10 亿人口都在它的管辖区域内，这里面就有魏桥电厂。我查了一下，国家电网目前是中国最大的电力企业，拥有资产 2.1 万亿，快接近全国社保基金在 2010 年年底时的资产水平了。

我们在 2002 年开始的电力改革，目的就是要破除垄断、公平竞争，但是让国家电网公司一家管 10 亿人的用电，是不是和要破除垄断正好相反？我们看下 2002 年的电力改革方案，在这个方案中，国家电网公司底下分成了 5 个区域电网，分别是华北、东北、华东、华中和西北电网。政府进行这种设置的初衷应该是好的，本是想让这 5 个区域电网在国家电网内部形成竞争，防止垄断的产生。但现实是，从 2005 年开始，国家电网就宣布越过区域电网对省级电网实施垂直管理，然后把区域电网的资产下放到省一级，再把它们的权力收回到国家电网公司手里，等于是把 5 个区域电网公司架空了。到 2012 年 2 月，这 5 个区域电网公司被彻底"消灭"了，拆成了国家电网公司的各个分部，名亡实也亡，相当于我们花 10 年进行的电力改革被打回了原形。如果各位在过去抱怨国家电网因为垄断造成了这样、那样的弊端，那么从 2012 年开始，它完成垄断模式的彻底"复辟"之后，我们只会看到更多的垄断衍生物。

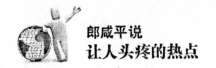
三、两大国有电网和地方电网博弈，
能否开启新一轮电改？

我们回头再看魏桥电厂，它给附近工厂和老百姓拉的电线，在国家电网这么一个庞然大物面前，完全就是一块小舢板。那么我们假设"魏桥模式"这块小舢板，还有国家电网旗下的 5 个区域电网，它们如果都是因为体量小的原因，没能打败国家电网这个庞然大物，那么我们是不是可以尝试一种全新的思维，就是在大电网之间促进竞争，甚至是引入新电网，就像我们的电信业一样，多引入竞争者，来推进市场化。各位想一想，如果我们想装宽带，会发现不只一家可以选，联通、电信，还有长城宽带等，都可以用是不是？我们也希望电力行业最后的改革结果是这种状态。让我感到欣慰的是，我们在调研的过程中发现，一些地方电力部门，一直都在大胆地、艰难地尝试着多边购电这种方法。

我们在关注魏桥模式的时候，同一时间还出了另外一件与国家电网"武斗"的新闻。2012 年 4 月 25 日的时候，陕西地方电力公司和国家电网的陕西分公司打了起来，为什么呢？陕西地方电力公司，原来是陕西地方上的农用电网，在国家电网大面积"清扫"地方电网的时候，被地方政府保留了下来。我在这里补充一句话，我们的 2002 年电力改革精神之一就是电网的输、配分离，但在国家电网对地方电网的"大清扫"和购并过程里，它自己还是建立起了大规模的输电和配电网，从这一点来说，国家电网也是违背电改初衷的。我们接着说陕西地电，它按规定是从国家电网那里买来电，再把电卖给它下面的企业和老百姓。"武斗"的起因是榆林这个亟待大兴土木的能源、工业重镇，需要大量供电，但是国家电网呢，它不管陕西地电怎么递申请，就是不多给电，而且还不想让陕西地电自己建电厂。

那陕西地电是怎么做的呢？它找到了"邻居"内蒙古，那里的内蒙古电力公司（蒙西电网）和它一样，也是地方留下来的电网，只是和国家电网对接，没有被收编。但是按道理来说，蒙西电网的电必须先对接到国家电网，再由国家电网把电卖给陕西地电，可是我前面说了，国家电网根本就不同意给陕西地电多送电，怎么办呢？这两个电网一商量，我们距离那么近，直接从你那里接一条电线到我这里不就行了吗？然后蒙西电网就从鄂尔多斯拉了一条220千伏的输配电线路到榆林。这就让国家电网非常不爽，你们这两个小电网怎么能绕过我，自己"市场化"地把问题解决掉呢？我不可能不管啊。

在电力改革进行的10年中，国家电网在其管辖区域内，购并了大量地方电网公司。截至2012年底，只剩下陕西地电、蒙西电网在内的5家规模较大的地方电网企业没有被购并。其中，陕西地电虽管理陕西省99个县中66个县的电力供应，但售电量只占全省售电量的1/3，也就是只负责经济欠发达地区的供电。蒙西电网和陕西地电不同，其所辖区.域是我们国家最大的"电源"，蒙西电网连接着内蒙古60%左右的发电厂，而且它兼具输电和配电功能。从职能上来说，蒙西电网可以和国家电网还有南方电网比肩。

那么国家电网是怎么做的呢？陕西地电和蒙西电网建的这条蒙西—榆林电线，它是要穿过国家电网架设的一条330千伏输电线路的，而且一旦穿越完成，马上就可以通电了。4月25日，就在陕西地电和蒙西电网为最后的通电，也就是穿越国家电网作准备的时候，国家电网动手了。它以保护自己的电线为由，破坏这两个地电的电网，那两边的人肯定要动手。这个事情闹到最后，陕西省政府出面调停了，它选择站在了自己的电力公司一边，让国家电网退一步，最后蒙西—榆林电线顺利接通，解决了榆林用电紧张的问题。其实坦白讲，透过这个事情，证明了我们在电力改革中提到的"打破垄断，引人竞争"是可行的。

我们后来调查还发现，接通的这条蒙西—榆林电线对蒙西电网来说其实也很重要。蒙西电网连接着内蒙古大量的火电厂和风电场，但是它必须先把电输送给国家电网，再由国家电网向它自己的辖区，还有南方的南方电网进行输送。也就是说，蒙西电网能往外送多少电，都由国家电网说了算。2011年夏天我们的南方那么多省拉闸限电，而蒙西电网却窝电700亿度送不出去，就是因为国家电网不多要它的电。而且根据我们的观察，国家电网不要蒙西电网的电，也不是偶然，而是已经存在好几年了。据统计，内蒙古在过去几年里，发电能力翻了近八倍，可是蒙西电网和国家电网之间的电力外送通道，却一条也没有增加。所以这一次陕西地电找到了蒙西电网，应该算是需求找上了供给，是一个非常完美的市场化交易。

我们在调查中还发现，蒙西电网正在进行一个，我认为是非常有想象力的计划，就是跨过国家电网，直接和南方电网之间拉一条线路，把内蒙古富余的电送到广东、云南等这些严重缺电的地方。大家都晓得，广东是用电大省，但它自己本身不产煤，所以只能从内蒙古、I上J西这些地方买煤，然后长途运过去，有时还得从澳大利亚等国家进口煤，发电成本是很高的。而内蒙古呢，它有很多煤矿，非常适合建坑口电厂。如果说在广东和内蒙古之间拉线路，把运煤变成直接输电，既能节省广东的发电成本，也带动了内蒙古电源的建设，这也是一个非常完美的市场化交易。但是目前来看，南于众所周知的原因，这个计划推进得非常艰难，让人揪心。我呼吁我们有关部门能够为推动电力改革，尽到该尽的责任，让更多的陕西地电和蒙西电网站出来，和国家电网、南方电网进行竞争和合作，不要让电力改革开倒车。

当然，我们现在所看到的竞争，只是小范围的竞争。那么我们可不可以更放开一些，把更多的和国家电网体量相当的竞争对手都引入电力领域呢？比如我前面提到的电信、联通，甚至我们的民营企业华为等，它们目前虽然没有电网业务，但它们的体量足够庞大，可以在改革进入"深水区"的时候，有足够的能力和国家电网博弈。我这么建议的最终目的，就是让电力部门开放化，做到公平有序竞争，然后我们的发电厂不再被压价，而是在公平竞争的情况下，竞价上网；我们老百姓和企业呢，在电力企业竞争的过程里，享受到降价的服务。

四、重建电力多边交易中心：让电厂和老百姓双赢

除了对电网本身进行改革，我还有一个建议，就是重建电力多边交易中

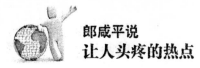

心。什么是电力多边交易中心？我解释一下，它和股票交易所类似，卖电的电厂把自己可以在某段时间发多少电，以及要卖出的电价挂出来；另一边的买方，可能是大工厂，也可能是大型社区，把自己在某段时间需要多少电，然后能够承受的电费也挂出来。让买卖双方在一个透明的平台上进行询价，交易一旦达成，双方再找到电网，让电网充当高速公路的角色，把双方商定好的电，按时按量输送过去。然后买电的一方也好，卖电的一方也好，就像交高速公路过路费一样，给电网一笔钱当作是"运费"，"运费"当然不能太高，比如 3%~5%，如果太高就失去了意义，这些钱可以拿来维护电网的运行。我说的这个方法并不是假设，2010 年内蒙古曾经开过电力多边交易中心，用的就是蒙西电网做运电通路。事实证明，这个交易市场运行效果还是很好的，为参与多边交易的几个工厂省了不少电费，但是这个交易市场在运行了几个月之后，被有关部门以"变相降低企业用电价格"为名叫停了。

2012 年 12 月 7 日，国家电力监管委员会发布了《跨省跨区电能交易基本规则（试行）》，明确省级电网公司和符合条件的独立配售电企业，以及电力用户都可以作为跨省跨区电能交易购电主体；跨省跨区电能交易将在原则上采取市场化的交易方式。该规则自 2013 年 1 月 1 日起正式试行。

我希望我们的电力部门能够重新启动电力多边交易中心，因为它除了能降低电价之外，还可以解决煤价放开之后的"电厂危机"。我以前在讲煤炭改革的时候分析过，政府从 2013 年 1 月起放开了煤价，取消了计划煤。这让我们的电厂，一边要面临高企的成本，一边是被压制在低位的上网电价，电厂的发电热情很可能会降到冰点。针对这个问题，我看到我们的政府在2012年12月，发了一个公告，说发电企业可以把电煤价格上涨产生的额外成本，更多地转嫁给两家电网企业。2013年之前还使用"煤价双轨制"的时候，如果煤价波动幅度超过5%，电厂可以把多出来的成本的70%转嫁给电网，也就是提高上网电价。现在最新的公告里说，在煤价上浮5%以后，电厂可以转嫁90%的成本。出台这个政策的目的，是想在电力系统内部消化煤价上涨带来的成本上涨。但是我必须要提醒各位，不管是电力公司，还是电网公司，它们只要是国有企业，就有可能透过财政补贴或者政府直接注资等方式，把亏掉的钱"补回来"，到最后还是我们的政府拿自己的钱为煤价上涨埋单。

我们为什么不可以用一种全新的思维来解决煤价上涨的问题呢？就像我上面讲的，在煤价正常波动的情况下，开放电力多边交易中心，这样的话，作为电厂，它就可以从市场化的角度为自己发的电合理定价，保证自己的收益，这样不就不用向政府伸手要补贴了吗？而对于老百姓来讲，这种在透明的平台上进行的交易，就可以免去电网过分溢价的环节，老百姓就不用花那么多钱买电了。

第七章　税改需要的是灵魂，
而不是形式

过去我们常拿美国人从生到死都在纳税开玩笑，近年来懂得了算账的国人发现原来我们缴的税比美国人多得多。

中国商品所含的税是美国的 4.17 倍，日本的 3.76 倍，欧盟十五个发达国家的 2.33 倍。

高税负明显已经成为阻碍企业发展、个人消费的拦路虎之一，税制改革更是成了全民热议的话题。

2012 年，营业税改增值税的税改终于开始了，试点首选的是上海，改革的对象包括交通运输业、与制造业相关的服务业等，涵盖了近 13 万户企业。在这次改革中，有一个比较大的调整，就是调高了小规模纳税人的门槛。税改前，小规模纳税人包括年销售额在 50 万元以下的生产企业，和年销售额在 80 万元以下的商业企业，所适用的增值税率分别是 6% 和 4%。税改后，上海将年销售额不足 500 万的企业都纳入小规模纳税人行列，适用税率统一为 3%。而对于一般纳税人，税率也由之前的 13% 和 17% 调整为 6% 和 11%。据初步统计，营改增之后，上海市税收大概减少 100 亿左右。

坦白讲，我觉得政府想要为企业减税的初衷是好的，这也是我常说的要"藏富于民"的有效手段，但是我们这一次大力度的营改增到底改得怎么样，我们接下来好好分析一下。

一、什么叫作营改增

首先，我们先说一下什么叫营业税，什么叫增值税。打个比方，营业税就是我们去吃饭的时候，吃了 100 元的东西，然后向饭店要 100 元的发票。根据发票面额，100 元就是这个饭店的营业收入，需要缴营业税。多少呢？5%。也就是营业额 100 元的话，要缴 5 元钱营业税。但是这里面有一个非常重要的问题，就是重复收税。比如说这个饭店创造了 100 元营业额，它需要花 80 元分别向 A、B、C 买进肉、菜、油，这 80 元就是饭店的成本。那么对于 A、B、c 来说，它们加在一起的营业额就是 80 元，这个也要缴 5% 的营业税，就是 4 元。各位注意了，这 80 元已经缴过税了，但是现在还要把 80 元算在饭店 100 元的营业额里，再次缴税。这就是重复收税。

再来说什么叫增值税。增值税是个比较进步的税种，我举个例子，还是用前面提到的饭店吃饭的事。这个饭店卖给我 100 元的东西，它的成本是 80 元，那么它的增值部分就是 20 元，只有这部分需要缴税。它的上游供货商 A、B、c 也只用缴它们的增值部分，基本不存在重复收税的问题。

回顾上海的营改增试点，坦白讲，还有很多不足的地方。首先，最该实

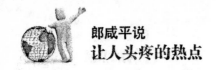
行营改增税改的行业并没有被纳入到试点范畴里。什么是最该实行税改的行业呢？我给各位举几个例子，比如餐饮业、金融业、物流等等，也就是我们常说的服务业，或者叫第三产业。上海营改增税改试点里，主要的减税对象就是交通运输业，它也是第三产业的一类。但是我认为仅仅把交通运输列入试点范畴还远远不够。为什么？首先，第三产业都是和我们老百姓日常生活息息相关的服务行业，大范围的减税就相当于让老百姓省更多的钱，或者说"藏富于民"。

第二，最近几年第三产业作为未来经济发展的主要推动力，对我们GDP增长的贡献在不断上涨。根据全国各地方政府发布的信息，很多地方的第三产业对GDP增长的贡献已经超过了第二产业，比如北京2012年第三产业对GDP的贡献率甚至接近80%。但就整体来说，我们的第三产业占GDP的比值还是很低的，只有44.6%。各位晓得发达国家的这个比值是多少吗？基本都在70%以上。所以未来，我们第三产业的发展还有很长一段路要走。但是根据我的调查，我们目前的营业税收人中有78.5%都是由第三产业交上来的，什么意思？就是我们对第三产业收的营业税太多了，这不利于它的发展，当然也不利于我们整体经济的发展。所以我希望，我们的政府应该将除交通运输以外，更多的服务业纳入到营改增税改范畴里。

目前，我们的第三产业占国民经济的比重，在全球相对落后。2012年，IMF对全球排名前35的经济体进行了经济结构调查。在"第三产业占GDP的比重"这一项里，35个国家的平均值是63.6%，美国的这个比值是79.7%，法国是79.8%，英国是78.2%，和我们一样都属于制造大国的德国也达到了 71.1%。但是中国的这个比值只有 44.6%，参与调查的国家里，只有沙特阿拉伯、印度尼西亚和阿拉伯联合酋长国比我们的数值低。

二、改来改去，谁是最大受益者

大企业受益最多。既然最该参与营改增试点的行业没有被纳入到试点范畴里，那么在这次试点中，谁得到的好处最多呢？透过研究我们发现，减税最多的是我们的国有企业和大型企业！因为这一次的"营改增"主要针对上海的航运、制造等领域，而这个行业的大型企业大多都是国企，比如说东方航空、上海机场等，这些大型国企的特点是：现代化程度比较高，用工比例比较少。企业购买的机器、设备是可以抵扣的，而雇用工人的成本是不能抵扣的。这就让这些大企业占了不少便宜。

我给各位看一组数据，2013 年 3 月中国国航在它公布的 2012 年年报里说，它 2012 年只缴了 4.45 亿元的税。那中国国航在 2011 年缴了多少税呢？27.56 亿元。也就是说，中国国航在 2012 年一下子少缴了 84% 的税。还有东方航空，2012 年实行"营改增"税改之后，在试用区域内的东航国内航线，它们的主营业务收入都不需要缴纳营业税，这让东航 2012 年全年总利润一下子增加了 1.78 亿元。据统计，在 2012 年这场税改中获利最多的上市公司分别是亚通股份、东方航空、海博股份、锦江投资、上海机场和上港集团，全部都是国企或者大型企业。

中小企业又吃亏了。之前，我们希望的是能够透过这次改革给中小企业减负，但结果发现不是那么回事，因为我们的中小企业在这次税改中不但没有赚到便宜，反而又吃亏了！

我们现在的增值税有两种纳税人，一种叫作一般纳税人，另一种叫作小规模纳税人。只有一般纳税人才是在增值税抵扣链条上，也就是说，只有一般纳税人才有"进项抵扣"这么一说，而小规模纳税人完全被排除在抵扣之外。而要想当这个一般纳税人，必须同时满足两个条件：第一，年应税销售额要在500万之上；第二，会计核算必须健全。那能同时满足这两个标准的又有多少是中小企业呢？在上海市确认的试点企业中，一般纳税人4.05万户，占31.5%；小规模纳税人8.81万户，占68.5%。

这种划分标准导致的另外一个后果，就是剥夺了自由交易双方的好处。本来嘛，谁都知道，小商铺的东西肯定比大商场便宜。但现在因为小商铺开不出增值税发票，没有发票就没法抵扣税额，那一般纳税人只好跑到能开出正规发票的大商场去采购，被迫选择购买明知价格更贵的商品，也就是说，一般纳税人本来是可以以比较低的价格买到商品，而小商铺本来可以有赚钱的机会，但现在因为发票的问题，做不成生意了。

某些行业税负加重。更可怕的是，有一些企业在这次税改之后，税负反而加重了！就拿咨询服务业来讲吧，咨询公司最大的成本是人力资源和租金，但是这两项都不能算增值税的抵扣项目。比如一个大型咨询公司，它的年收入在500万以上，营改增前，它要缴纳5%的营业税。营改增后，它适用低档的增值税税率6%。因为几乎没有可以抵扣的项目，它的税负一下子加重了 20% 。

其实在交通运输业（购置的车辆设备都是税改以前买的，无法抵扣）和部分服务业的增值税试点改革后，上海市马上发现了部分企业税负不减反增的问题，有关部门在 2012 年 2 月发布的《关于实施营业税改征增值税试点过渡性财政扶持政策的通知》中就指出："对本市营业税改征增值税试点过程中因新老税制转换而产生税负有所增加的试点企业，按照'企业据实申请、财政分类扶持、资金及时预拨'的方式实施过渡性财政扶持政策。"我们先不说日后推广到全国的话，其他地方政府有没有上海这样雄厚的财力进行专向扶持，单就这种一边征税一边补贴的行为来说，本身就违反了税收的强制性、无偿性和固定性特征。

2012 年 3 月，中国物流与采购联合会发布了对上海 65 家大型物流企业的调查结果。统计显示，2012 年 1 月份，67% 的试点企业实际负担的增值税均有所增加，税负平均增加 5 万元。其中，税负增加超过 5 万元的企业占57%，税负增加超过 10 万元的企业占 24%，个别大型物流企业集团税负增加超过 100 万元。这些被调查企业 2008—2010 年 3 年年均营业税实际负担率为 1.3%，其中，货物运输业务负担率平均为 1.88%。但实行营业税改增值税后，即使货物运输企业发生的可抵扣购进项目中全部可以取得增值税专用发票进行进项税额抵扣（实际上，由于试点仅在上海的部分行业开展，试点企业外购的货物和劳务中还有部分不能进行抵扣），增值的实际税负担率也会达到 4.2%，较营业税税负上升了 123%。

坦白讲，除了税改本身在税率设定和成本认定等方面存在缺陷之外，我

还有两个方面的担心。第一个担心是，营业税属于地税，是地方政府的主要税收来源之一，占到地方税收的三分之一以上。而在我们税改范围内，除了铁路运输、各银行总行等少数企业集中缴纳的部分是属于中央以外，其余全部归地方所有。而增值税是共享税，中央拿75%，地方剩25%。虽然营改增后，地方的增值税收入这一块是增加了，但是，这一块的增加远远弥补不了营业税的减少。营业税改增值税现在只是在上海做试点，就导致上海市2012年的税收收入减少100亿元。如果营改增在全国推广的话，据国家税务局的测算，税收收入预计净减少1000亿元以上。我们现在一直在呼吁说，要地方政府减少对土地的依赖，现在如果再从地方政府的钱袋子里把营业税剪掉，地方政府怎么会有动力落实营改增呢？

营业税是我国地方税里最重要的税种，当营业税全部改为增值税后，我国的地方政府就几乎失去了主体税源。但作为地方政府，除了每年靠中央财政拨款，它自身也要有独立的收入来源，以寻求收支平衡。所以当地方政府失去了唯一的主体税种后，就必须有新的税种加以填补。在我国现行的18个税种中，大部分税种都是税额极小的，无法满足营业税流失带来的损失，而规模稍大的五六个税种，又都不适合作为地方税种。所以重建税制成为我国政府的当务之急，其中以房产税为代表的财产税等税种，很可能成为地方财政解渴的速效药。但房产税等税种的推出，对我们的政府而言又是一个新的挑战。

我的第二个担心是，因为我国的增值税的征收与大多数国家不同，大多数国家是在消费地征收增值税，而我们是在生产地征收。目前我国的情况大致是，东部地区属于商品生产地，而中西部属于商品消费地。那么增值税的税收收入就会由中西部向东部转移，这样就会拉大东西部地区间的财力差距。这个现象很容易让地方政府为了保护自身利益，还会用垄断本地市场的办法阻止外地商品的输入，形成地区割据和地方保护主义，阻碍全国统一大市场的形成。

三、看看国外税制是怎么"善待"中小企业的

那么，究竟如何才能让我们的税务制度在整体上改得更好呢？我们可以借鉴一下国外的经验。现在很多国家基本都是征增值税，从这一点来说，我们进行增值税改革，可以让我们的税制和国际通用税制接轨，所以我们的方向是对的。但是国外采取的降低增值税税率的做法，和我们又是不一样的。

我们先看看德国。德国有三种税率：零税率、标准税率和优惠税率。其中零税率是给出口产品的，比如德国一家企业卖东西给中国，它用的就是零税率。标准税率是一般的交易税率。那么优惠税率是给谁的呢？德国的小商小贩，具体包括农林业产品、文化用品、图书报纸（就是小书报摊等）、部分婴儿用品、艺术品、化肥、饲料等46种商品。各位看清楚了吗？这些基本上都是中小个体户。除此之外，对于上一年度营业额和纳税总额低于1.75万欧元，且预计本年度以上金额不会超过5万欧元的小规模纳税人，根本就不用缴增值税。所以说，德国的税务制度是明显向小商小贩倾斜的。

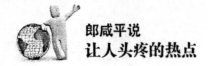
与此同时，德国还通过法律限制大企业，帮助中小企业。我记得大概在十几年前，我去德国参加一个会议，接待我的是一位 40 多岁的女士，我们关系很好。到了下午 4 点半，她就很着急，说 Larry 你帮我一个忙，你能不能陪我去超市买菜？我当时还很惊讶，说你急什么？她回答说超市到 5 点就关门了。我一边惊讶超市怎么这么早关门，一边陪着她去买菜，其实是抢菜，因为 5 点钟就要赶紧出来结账了。我记得当时我还很骄傲地和她说，你看我们那里的超市都开到很晚，下了班随时可以去。后来我发现自己很蠢，为什么？因为这些大超市之所以早早关门是因为政府下了特别的法令，叫作闭店法，就是大超市、大卖场、大公司只能在 5 点之前营业，要把 5 点之后的时间留给小商小贩，让他们有一个生存的空间。另外，德国还有一个建筑物使用条例，规定 1500 平方米以上的卖场，不能够在市中心经营，只能在比较偏僻的开发区、工业区经营，后来这个标准慢慢降低到了 1200 平方米，甚至 800 平方米，这么做的目的还是为了保护小商店的利益。

再来看看法国。在中小商铺密集的餐饮企业，法国把增值税率从 19.6% 降到了 5.5%。别看降幅很大，法国政府好像吃亏了，但事实上这是笔互惠的交易。因为作为回报，餐饮业下调了餐饮食品的售价，平均降幅为 11.8%，并承诺在两年内新增 4 万个工作岗位。在我们中国人看来，这 4 万个岗位可能不算多，但是各位要清楚，法国只有我们一个省那么大，按照一个省的比例算下来，这样做其实完全达到了双赢。

除了德国和法国，欧盟还有 8 个国家，比利时、希腊、西班牙、意大利、英国、卢森堡、荷兰和葡萄牙，对小规模修理厂、皮鞋、皮件、服装家具等中小企业都是征收5%的增值税。还有像是私人住宅的翻修装潢、玻璃窗的清洗、家政服务、美容美发等，这些它们也有特别细致的规定，都是享受优惠增值税率。

透过这些案例，我是想说，我们政府改革增值税本身是符合国际惯例的，是很好的。但是还要向欧盟学，一定要加大对中小企业的扶持力度。我国中小企业总数已占全国企业总数的99.8%，创造了50%以上的GDP和68%的商品出口额，并且提供了75%的就业岗位和80%的新增就业机会。但是，这些年来，这些对经济做出卓越贡献的中小企业，它们的生存环境是非常艰难的。它们面临着融资难、税收优惠政策不完善、财务信息披露负担偏重等问题，它们要想长大可谓是阻力重重。尽管我们已经实行了差别对待，但政策倾斜的力度还是不够，资金扶持的强度也不够，同时给予中小企业尤其是小企业的优惠还是不足。那么对于如何加大对中小企业的扶持呢，我给出几个建议。

降低一般纳税人的门槛。我们的政府，在划分一般纳税人和小规模纳税人的时候，能不能不要把标准放那么高？各位想想看，年销售额500万以上和会计核算健全这两个条件，在经济最发达的上海能够满足这种条件的企业都只占三成。那推广到全国，怕是这样的门槛会把九成以上的企业都排除出抵扣的链条。因为我们中小企业占到全国企业总量的99.8%，在这里面，绝大部分企业都被划归为小规模纳税人。这样的话，就是绝大部分企业都不能参与到抵扣环节里，那么，增值税就是变相了的营业税，营改增又有什么意义呢？

让小规模纳税人也能开发票。怎么让小规模纳税人能方便地开出增值税发票，也是税务部门要好好想一想的事。我们现在的小规模纳税人自己开不了发票，想开票要去税务部门，程序非常复杂。而且，就算是真开出发票来，对方如果是一般纳税人，也只能抵扣3%的进项税额。现在的规定相当于是让一般纳税人不愿意跟小规模纳税人做买卖。所以我们是不是应该想办法简化一下开票手续，在抵扣规定上做得再细致一些？

加快扩围脚步，行业区别对待。还有一个，我们是不是也可以学学欧盟，对不同的行业按照不同的税率进行征收？我们现在是对运输业和与制造相关的服务业进行试点。以后推广到其他行业的时候，像餐饮住宿、旅游、娱乐等服务业这些中小企业比较集中的地方，能不能也给个优惠税率？

虽然我们现在也在改革税制，但是我觉得我们在增值税改革中，是在形式上和国际接轨了，但里面的灵魂没有接轨。什么是灵魂呢？就是真心实意地扶持中小企业。与此同时，我们是不是可以透过一些政策，限制一下大企业和大卖场，给中小企业更多的生存空间？当然，我们不是说让东航夜里停飞，好让我们的民营航空公司有个生存空间，但是按照现在的趋势来讲，确实容易发展成"国进民退"的局面。

2013年4月召开的国务院常务会议透露出的信息是，一旦2013年"营改增"税改进一步扩大，全部试点地区企业在2013年将减轻税务负担约1200亿元。那我希望我们的政府能够真正地把"扶小抑大"这两个方法用在一起，让进一步"营改增"税改的获益主体变成民营中小企业！让估计的这1200亿元里面有一多半是由中小企业节省的！

第八章 治理腐败需要新思路

2012 年年底，网络反腐异常火爆。仅仅 20 天时间里，全国一共有 14 名官员被举报，其中因不雅视频曝光被调查的重庆北碚区委书记雷政富，从被举报到免职，全程只用了 66 小时 25 分钟。在大快人心之余，我们也必须认清，比打击腐败更重要的是预防腐败。纵观包括新加坡在内的世界十大最清廉国家的经验，我们发现透过诸如《预算法》等法律和制度反腐、防腐才是最有效的。

各位应该都还记得 2012 年 11 月热起来的网络反腐吧，仅仅 2012 年 11 月这一个月里，被爆出不雅视频的重庆北碚区委书记雷政富，还有被爆"情妇承诺书"的山东农业厅副厅长单增德等高官纷纷落马。看到这么多贪官被查处，我们当然都拍手称快了。但是各位，我觉得我们更应该静下心来，认真思考一个问题——什么样的手段才能预防腐败。像现在这样出一段不雅视频，或者出一个经济案件再下手抓人，根本达不到治理贪腐的效果。所以，对于我们来讲，最重要的是要形成一种反腐、防腐的机制和体系，从最开始的源头把贪污、腐败给杜绝掉。我们该怎么做呢？

我们先说一下腐败的类型。一般而言，腐败包括政治腐败，比如一些西

方国家的贿选；用人腐败，主要是各级领导在提拔干部过程中的违规操作和以权谋私；经济腐败，主要是与政府投资有关的工程腐败以及国企腐败；行政腐败，主要是掌握审批权的各级政府部门的设租和寻租行为。之所以要先弄清楚这几种类型的腐败，是因为每种腐败背后的逻辑不一样，如果想精准打击腐败，那侧重点肯定也不一样。对于前两种腐败，我在这里就不多说了，本章我们主要重点讨论的是后面两种腐败——经济腐败和行政腐败。

其实，对于如何预防惩治腐败的问题，我们的专家和学者也都给过建议，归纳起来大概有三个类型。第一类，也是谈得最多的，叫作"高薪养廉"。以新加坡和中国香港特区为例，这两个地方的政府的清廉排名绝对位居世界前列，同时这两个地区政府的官员的工资也非常高，所以就有人建议，说我们的政府应该仿照新加坡和中国香港，实行"高薪养廉"。第二类，运动式反腐，也就是加大打击腐败的力度。第三类，像中国香港和新加坡一样，成立廉政公署或者贪污调查局之类的监察机构。但是，对于这三个思路，我的感觉是，都不一定行得通。为什么这样讲？我接下来一一跟各位分析。

一、"廉政"与"高薪"无关

高薪能够养廉吗？我可以很明确地告诉各位，不能。我给各位举两个例子，第一个例子，中国古代曾经实行过"高薪养廉"，但都没有成功；宋朝的王安石推行过"高薪养廉",结果失败了,失败的原因是,王安石发现,人的贪欲是无止境的,无论你给官员多少钱,他都不会满足。还有清朝,清朝从雍正皇帝开始就有了"养廉银",就拿晚清名将、台湾巡抚刘铭传来讲吧,他的年俸是155两白银,各位猜猜看,他的"养廉银"是多少?1万两白银,相当于本薪的65倍。而且刘铭传不是个例,因为清朝官员的"养廉银"普遍是本薪的10～100倍。但结果呢,清朝末年的腐败令人咂舌。

另外一个例子,是我们媒体经常说的新加坡版"高薪养廉"。那各位晓不晓得,我们完全搞错了新加坡的"廉政"与"高薪"的关系。新加坡在20世纪50年代的时候,腐败是非常严重的,后来,新加坡在1952年成立了新加坡贪污调查局(CPIB),李光耀总理上任之后,给予了这个部门绝对的权力,严厉打击了腐败,腐败问题得到了解决。而所谓的"高薪"是新加坡1994年才推出来的。所以说,我们完全搞错了"廉政"与"高薪"的因果关系。另外,新加坡的"高薪"并不是针对所有公务员,而只是总统、总理、部长一级的,而普通公务员的平均薪酬跟一般企业人员差不多。我们作了一个调查,新加坡公务员的平均月薪只有社会平均水平的90%,相当于新加坡建筑工人的工资水平。

其实,除了新加坡,挪威和瑞典政府的廉政程度也都排在全球前十,那它们的公务员薪水是什么状况呢?我们作了一个计算,挪威公务员的薪水是社会平均工资的1.02倍,瑞典公务员的平均工资是社会平均工资的0.99倍。也就是说,这两个国家的公务员并没有享受高薪,但却廉洁。这说明,"高薪"和"廉政"并没有什么必然关系。

二、俄罗斯"运动式反腐"，也没有取得任何重要成就

2008 年梅德韦杰夫当选总统的时候，他一上台就成立了一个由他亲自负责的反腐败委员会，还发布了一个《反腐败法》'这里面规定公务员及其老婆、孩子都要提交收入和财产信息等。而到 2010 年，反腐败在俄罗斯已经上升到一种战略高度了，俄罗斯通过了一个"国家反腐败战略"。在 2010 年 2 月，梅德韦杰夫就一次性撤掉了 17 个少将以上警官职务的官员。这一年，还有 6000 多个官员因为隐瞒真实收入，受到了纪律处分。到了 2012 年，俄罗斯又特别设计了《2012—2013 年国家反腐败计划》等操作方案，来继续运动式反腐。

俄罗斯的腐败问题一直都非常严重。从普京第一次当总统开始，僻罗斯就开展了持续 10 多年的运动式反腐。普京上任的第二年开展了一个非常有意思的反腐行动，叫钓鱼执法。什么意思？就是执法人员用钱引诱官员受贿，来测试这个官员的忠诚度和忍耐力，看官员们能不能经受住诱惑。透过这个方法，仅在 2002 年初，普京就已经把俄罗斯的交通部长阿克肖年科、总统办公厅主任沃洛申、天然气工业公司第一副总裁舍列梅特、国家杜马代表戈洛夫廖夫等高官、高管拉下了马。到了 2007 年的时候，普京还下令出台了"反腐标准计划"，这里面有一条非常有意思，要求在官员会见商人的地方安摄像头；另外，还建立公务员举报网，发动老百姓揭发官员的腐败行为。

普京卸任后，梅德韦杰夫上台，他也开始了一系列打击腐败的行动。也就是说，从 2002 年开始到 2012 年，这 10 年里从来没停止过反腐败行动，而且，力度特别强、攻势特别猛。但是结果告诉我们，俄罗斯的运动式反腐，基本没有取得任何重要成就。因为根据国际反贪组织"透明国际"的调查，从 2001 年到 2011 年这 10 年里，俄罗斯的贪污受贿案增加了 7 倍。俄罗斯官员腐败行为愈演愈烈，甚至渗入到每个环节，俄罗斯媒体还曾经公布了一份政府腐败"价目表"，根据这个价目表，俄罗斯老百姓要想快点拿到出国护照，得向官员行贿 500～700 美金；为免服兵役，行贿 1 万～2 万美金；让孩子上个好小学或者中学，行贿 1000～3000 美金；如果是差生想上名牌大学呢？那也没问题，交 5 万美金就行了。还有更离谱的，就是买官卖官的"价目表"。几年前，俄罗斯自由民主党的领袖透露说，俄罗斯的州长还有类似于议会上院的联邦委员会委员级别职务，开价是 500 万～700 万欧元；要是级别低的，比如司长或者署长之类的，交 300 万～400 万欧元。这些触目惊心的数字，已经说明了，俄罗斯的运动式反腐完全无效。

三、2% 先生，一个事关反腐成败不得不说的话题

根据第三个思路，有专家建议我们搞一个像中国香港和新加坡一样的廉政公署或者贪污调查局，并且直接由高层负责。坦白讲，在这方面中国香

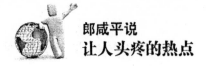
港、新加坡做成功了，但是也有一些失败的例子，比如俄罗斯。2004年，普京在第一任总统任期中，下令成立反腐败委员会，目的当然是为了打击腐败。普京让当时的总理卡西亚诺夫担任这个委员会的主席，全权负责。结果是，这个委员会成立一个月后，卡西亚诺夫就被免职了。为什么？因为这个卡西亚诺夫本身就是一个大贪官。这个人经常透过职务之便，比如和西方信贷机构谈判，比如和俄罗斯寡头企业签订重大项目的时候收回扣，胃口还很大，每一笔从他手里经过的交易，都要留下2%当作回扣。因此，有人给他取了一个外号，就叫"2%先生"。

透过"2%先生"，我再提一个更加极端的假设，就是"无赖假设"，它是由18世纪的英国哲学家休谟提出来的。休谟假设：每个人的本性都是恶的，所以任何政府在制定制约和监控机制的时候，都必须把每一个政府成员想成是无赖。这些官员就是为了谋求私利来到政府的，他们天生野心非常大，给多少权力和金钱都没法满足。当然，休谟的意思不是说每一个当官的人都是无赖，他只是建议说要按照"最差情况"来设计机制。也就是说，假设每一个官员都会在各自的职位上有贪腐行为。比如说俄罗斯，即使是掌管反腐败调查委员会的国家总理也会腐败。那基于这个假设，我们就必须在一开始设计制度的时候，就要想办法堵上可能出现的漏洞。

四、腐败的根源：转型期经济体存在制度漏洞。容易滋生腐败

到底什么样的方法才能根治腐败？在回答这个问题之前，我们有必要弄清楚，腐败的根本原因究竟是什么。

先给各位举两个例子，首先是墨西哥。1980—1990 年，墨西哥的萨利纳斯总统实行自由化经济政策，对墨西哥的国有企业进行"私有化"改造。这个过程，其实就是一场瓜分国有资产的"盛宴"，让墨西哥全社会陷入了疯狂的腐败中。其中最严重的问题是，腐败侵蚀了执政党。各位晓得吗？从最高领导层，也就是总统的部下，内阁部长、州长、副总检察长这些政府要员，到总统的亲戚朋友都卷入了腐败案件里。最典型的例子是，总统的亲弟弟劳尔·萨利纳斯在这种私有化过程中非法致富，敛财上亿美元。根据估算，墨西哥的腐败问题，给它造成的直接经济损失每年高达 300 亿美元，相当于墨西哥国内生产总值的 9.5%，国内年税收总额的 15%。

再说一个例子，就是我在前面说过的俄罗斯。各位晓得俄罗斯的腐败是从什么时候开始的吗？1991 年底叶利钦担任俄罗斯联邦总统，对经济搞全面私有化，结果是庞大的国有资产迅速被分解成私人财富；很多国企，尤其是最赚钱的能源企业，全都以极低的价格落人富豪们的口袋，诞生了一批寡头财团。更要命的是，像海关、税务、缉毒、检察、公安、法院，还有军队这些政府要害部门全部成了腐败重灾区。于是，腐败在全俄罗斯范围内成了脱缰野马，所以我们看到，俄罗斯近一半的政府财政预算拨款都被贪官转移了；三分之一的军费流入不法之徒手里；企业约 30% 的成本要用来行贿各级官员。俄罗斯自己的反贪组织说，俄罗斯官员的贪腐金额占俄罗斯 GDP 的 50%，跟世行公布的 48% 比较接近。

透过上面两个例子，我们可以看到腐败猖獗的共同特性：第一，处于转型期的经济体最易滋生腐败；第二，从计划经济到市场经济的转型期间，政府行政干预和市场开放同时存在，给了官员权力寻租制造了机会；第三，经济转型时期，经济制度的设定让企业觉得循规蹈矩付出的成本太高，如果透过行贿这种方式，达到同样的目的，可能花的成本反而更少，所以企业会主动行贿。其实我的意思就是说，处于转型期的经济体在经济制度上存在漏洞，容易滋生腐败。所以我们看到俄罗斯的运动式反腐、建立反贪局完全就是隔靴搔痒，俄罗斯的体制就是孵化腐败的温床，普京也好，梅德韦杰夫也好，透过抓贪官反腐，既不可能全抓住，也不可能起到根除腐败的作用。至于"高薪养廉"，新加坡的经验已经很清楚地告诉我们了，不过是为已经很清廉的政府加的双保险，是锦上添花的"防腐"工具。

联系到我们的现实情况，从30多年前提出改革开放到现在，可以说我们的整个社会一直处于转型期。在这个所谓的"摸着石头过河"的过程里，虽然，我们有在经济总量和国民收人方面的巨大进步，但是与此同时，贪污腐败现象也愈演愈烈。

总结我们的贪官类型，可以分成两类，一类是政府官员，像李春城、梁道行那样；一类是国有企业的高管，他们代替国家运营企业，所以既是政府的人，但又是企业的最高领导者，比如像陶礼明。这两类人手里都有非常大的权力，第一类人在行政领域握有很大权力，第二类人手里拿着国家，或者说全民的资源，但是想怎么用由他们说了算，所以这也是一种权力。那这"人是怎么做的呢？其实，就是我们常说的权力寻租，把手里掌握的审批权也好，贷款权也好，全部换算成金钱，然后对外兜售，所以也叫权力变现。在这个过程里，不是最守法的人能最先、最快拿到营业执照，而是行贿的人；不是具有贷款偿还能力的人能最先、最快拿到贷款，而是行贿的人。对于这些贪官来说，不用花自己一分钱就能实现权力变现，这种变现能给自己带来巨大的利益。让人担忧的是，我们现在的反腐模式基本还是，先是有人举报，然后才有可能立案调查，完全是一种倒逼，反腐行为基本都是被动的。除此之外，即使腐败行为被查处，给予的惩罚力度也很轻，也就是说，很多官员认为，腐败这种违法行为成本，相对于有可能获得的巨额利益来讲，还是比较低的。基于上面这些原因，才导致很多人明知违法，却仍然铤而走险地贪污、腐败。

五、美国《预算法》启示：强化预算制度才能有效遏制贪腐

当然，腐败问题的产生，归根结底还是因为制度的问题。这种制度设计是一项很复杂、很庞大的工程。作为一个经济学家，我不是制度设计方面的专家，但我想透过一些经济方面的问题给出另外一种思考。比如说，我们应该考虑建立一种完善的预算制度。

那么，该如何做呢？我就拿美国做例子和各位好好分析一下。美国既没有实行"高薪养廉"，又没有搞过"运动式反腐"，也没有廉政公署这类的

机构。但是它的廉洁度很好，在透明国际的排行榜上排到了 19 位。这主要是因为它采用了完善的预算制度。

其实 100 年前美国的腐败程度绝对超乎你的想象。2012 年 12 月 13 日，《华尔街日报》登了一篇非常震撼的文章，叫《中国腐败程度不及美国当年》。文中提到 19 世纪 70 年代的美国，和 1996 年的中国在人均年收入都是 2800 美元的情况下，前者的腐败程度相当于后者的 7—9 倍。

各位能够想象美国 19 世纪 70 年代有多腐败吗？我举个例子，纽约有个协会叫坦慕尼，它 1789 年成立的时候，是个慈善联谊机构，但是发展到 1860 年，新任主席特威德上台之后，坦慕尼可以说彻底变成了腐败的"窝点"。1860—1870 年这段时间，特威德借助黑帮的力量，用非法手段强迫所有选举都要在自己的掌控之下。像州议员、纽约市市长这些关键的职位，都要他首肯才能上任。而豢养这些黑帮，需要庞大的资金，于是特威德不断从政府公共基金里贪钱。在 1869 — 1871 的两年时间里，特威德这伙人一共从政府公共基金里拿走了两亿多美元。这可是 140 多年前的两个多亿美元，1870 年美国全年的 GDP 总额也只有 980 亿美元，由此可见，特威德和他领导的坦慕尼协会腐败到了什么程度。

很多朋友肯定会好奇，这个特威德到底是怎么从政府公共基金里拿走这么多钱的？有一句话说"绝对权力，产生绝对腐败"，这绝对是真理。因为特威德逐渐控制了越来越多的纽约州官员职位的任免权，所以，坦慕尼协会就控制住了纽约的财政、司法、供水和交通等要害部门。特威德靠权力寻租，疯狂收受公共建设项目的高额回扣，他最有名的吞没公款的例子，就是操纵纽约市法院大楼的采购和施工过程。这栋大楼按照原定的建设方案，总成本应该是35万美元。各位猜猜，它最后的账单是多少？800万美金，翻了20多倍。怎么会多出这么多钱呢？透过其中几项简单的开支，我们大概就能看出问题，账目上显示，买40把椅子和3张桌子，一共花了18万美元。然后，又不晓得什么原因，要修理这40把椅子和3张桌子，所以又花了115万美元。另外，坦慕尼协会还聘了一个粉刷工人，两天的薪水竟然是13万美元。我在上面提到过，美国19世纪70年代的人均年收人才2800美元，坦慕尼协会竟然敢这么公然侮辱大家的智商，竟然开出一个粉刷工人一天6.5万美元的薪水。更过分的是，特威德在贪腐这件事上，极其的明目张胆。1860年特威德上台之后明文规定，凡是纽约市政府的一切开支，他都要收取55%的回扣，到1870年的时候，这个数字涨到了65%。特威德拿到钱以后，基本是自己留下25%，剩下的钱都分给了给他办事的律师、官员，还有黑帮。

当时美国的财政政策是"以支定收"，也就是说，政府花多少钱，就征多少税，完全没有预算限制。从坦慕尼协会那里拿到钱的官员，自然希望不断增加政府开支，这样自己就可以拿到更多的分成。所以纽约市政府的开支不断上升，当税收用完了以后，政府开始发债过日子。从1874—1896年这22年时间里，纽约市的债务从1.18亿美元涨到了1.86亿美元。

一边是政府的负债越来越高，一边是坦慕尼协会、贪官等人的口袋越来越鼓，老百姓当然愤怒了。1907年的时候，纽约市政府发出去的公债到期，但是它没钱偿还，这在当时引发了非常严重的社会动荡。最后是纽约市政府

向华尔街上的 JP 摩根伸手，借来了 300 万美元，才逃过一劫。就是在这一年，专门进行财政行政改革的专业会计师和反对纽约市政府腐败的老百姓一起，成立了纽约城市研究局。这个研究局和纽约市里比较落魄的"ABC"学者三人组——艾伦（Allen）、布鲁埃尔（Bruere）和克利夫兰（Cleveland）一起，推动了美国最早的市政预算改革。

1909 年，塔夫特就任美国总统，当时。的联邦政府因机构快速扩张，已连续 5 年产生巨额财政赤字。塔夫特希望借助纽约市预算改革的经验，推动联邦政府的财政改革。于是他邀请纽 j 约市政研究局，来到华盛顿，成立了塔夫特委员会，克利夫兰担任委员会主席。1912 年，克利夫兰发表了著名的《国家预算的必要性》报告，其中将预算的权力从议会逐步转移到行政部门，并建立起总统在行政机构之上的最高地位和权力，促使美国现代总统制的形成。1912 年 6 月，塔夫特总统将报告提交给美国国会，并制定出了《1914 会计年度的预一算》，标志美国从税收国家转变成预算国家。

1919 年，由众议员古德起草 j 的？预算与会计法"，即著名的"古德法案"在美国众议院以绝对优势获得了通过。1921 年 4 月，沃伦·哈丁当选美国总统后，正式签署了《预算与会计法》，在法律上完成了美国联邦一级的公共预算制度改革。

我在前面讲的，JP 摩根在纽约市政府还不起钱的时候，借给它 300 万美元。JP 摩根可不是慈善家，把钱借出去就不要了。正相反，作为华尔街上的金融大鳄，JP 摩根肯定会想办法，逼着纽约市政府还钱。就在这个时候，"ABC"三人组搞出了一个预算法，也就是透过预算限制政府的开支，不让它乱花钱，这样政府就有余力还 JP 摩根的钱了。在这个背景下，在 "ABC" 三人组、JP 摩根，还有纽约城市研究局等几方的推动下，纽约市政府在 1908 年推出了美国历史上第一个现代公共预算。当然，这个预算比较粗糙，只有 4 个市政府部门拿出了分类开支计划，当时一共是 122 页。等到 5 年以后的 1913 年，这个预算文件已经猛增到了 836 页，达到了最开始的 7 倍。在最后的成文里，预算法体现出了它的精髓，就是杜绝官员的寻租空间，让政府的整个支出和收入情况变得非常透明。纽约市的做法在全美引起了轰动，美国其他的州都纷纷派人到纽约学习。到 1929 年的时候，除了阿拉斯加，美国所有州都有了自己的预算法。

美国透过建立预算制度，杜绝了政府官员的权力寻租。我觉得美国预算法的产生背景和过程，还有它的内涵、精髓，非常值得我们研究和学习。那么，我们能从美国的预算法中学到哪些东西呢？

第一，全面。所有收支必须列在预算里面，没有列在上面的，就不能收支。试想如果有一部分政府收支游离于预算之外，由各个地方、各个部门随意支配的话，一是难以统计，二是很难全面监督，这就会给腐败创造条件。而现在在我们国家，制度外的政府收支和部分预算外政府收支，确实还没有纳入预算管理范围，既不受各级人民代表大会审议，也不在财政部门的统筹之列，属于非规范性的政府收支，这部分钱由于没有监督，当然会成为腐败的温床。

第二，具体。我们也写预算案，但是坦白讲，不要说老百姓，就连我这个专家都不一定能看懂，因为写得太笼统了。比如说，我们的预算上，写一

个"办公室装修",就可以列支了。这在美国是绝对不可能的,如果是在美国,你必须把列支的内容,比如说为了装修办公室买2个灯泡、3个茶杯、2个水壶等都要写清楚,只有做到这种详细的程度,你才可以列支。

而且,有意思的是,在我们的预算收支表中,最大的科目就是"类",总共有100多个"类"级科目,多数地方财政部门预算草案基本都只列到"类"一级,都没有"款""项""目"的具体内容。收支科目这么粗糙,我们根本没有办法判断是不是合理,导致的后果就是:人大代表看不明白,没有办法提出可行的修改意见;审计部门审起来也没依据,无法做到有效的审查监督;在执行环节,资金在各个项目之间随意游走,根本无法控制。我想请问,这种如此模糊的预算,能有什么约束力呢?

第三,透明。美国的预算透明度非常高,而且还有《反非效率法案》、《联邦政府阳光法案》等配套法律给予有力保障,这让美国预算执行的规则和各个环节的程序,都能做到公开透明,并受到非常有效的监督。还有一点,美国做得特别好,就是真实保障了老百姓的知情权。美国联邦政府、州政府、地方政府都在自己的网站上,提供了最详细的财政支出信息,老百姓可以从网站上下载各级政府的预算报告,并且可以随时查询政府预算情况,了解自己缴纳税款的去向。除此之外,总会计办公室的报告也是公开的,除属于国家机密之外的,都要通过互联网公开,让老百姓了解真实状况。美国的经验告诉我们,只有做到公开透明,才是真正把权力置于群众的监督之下,从而阻止腐败的发生。

我们再来看看世界排名前十的廉政国家,丹麦、芬兰、新西兰、新加坡、瑞典、冰岛、荷兰、瑞士、加拿大、挪威。它们的共同特点之一，就是都有严格的《预算法》，都做到了全面、具体、透明。那作为我们，是不是可以效仿这些国家，从预算方面入手，有效防止腐败的发生呢？

六、给市场放权，治理腐败的釜底抽薪之策

除了预算，我还想给一个建议。这点我在《中国经济到了最危险的边缘》一书中也强调过，中国改革的核心思路是：市场的归市场，社会的归社会，政府的归政府。我认为，治理腐败的釜底抽薪之策，就是把市场和政府的界限划清楚，市场自己能做的事，政府就不要多插手。少了权力这一载体，自然就没了寻租的空间。

今年年初广州"两会"上，广州市政协常委、广州新城市投资控股集团董事长曹志伟展出一张投资项目审批流程的"万里长征图"，"一个投资项目从立项到审批，要跑 20 个委办局、53 个处室，盖 108 个章，需要 799 个审批工作日。"各位看看，我们的政府对企业是多么不放心！如果有的企业等不了这么久，想快一点拿下审批，怎么办，只能去找手里握着盖章大权的 20 个委办局和 53 个处室，给点好处请他们通融通融。于是，腐败就发生了。那各位想想看，如果我们最大程度地减少这些审批环节，或者说干脆就取消，让企业根据市场规律来办事，还会产生腐败吗？从这个意义上说，市场经济不单单是一种资源配置方式，而且也是社会治理的最好方式。

李克强总理在地方调研时，就经常听到这样的抱怨，办个事、创个业要盖几十个公章，群众恼火得很。这既影响了效率，也容易有腐败或者寻租行为，损害了政府的形象。所以我们政府也打算从改革行政审批制度入手，来转变政府职能。现在国务院各部门行政审批事项还有1700多项，我们这任政府的决心是要再削减三分之一以上。

我们搞经济建设和社会转型，从企业到政府其实都是在"摸着石头过河"。政府一时的错位不可怕，但一旦意识到问题，就必须把错装在政府身上的手换成市场的手。权力的下放当然会触动一大堆既得利益者的利益，每一步都不会容易，但经济社会发展的矛盾一旦积累到一定程度，一定会倒逼着我们这样做，到那时，我们就会陷入一种完全的被动。那我们是不是可以从现在开始，能否把市场自己能办好的事，逐步交给市场呢？我想，铲除行政审批权力的寻租空间，才是防止腐败的釜底抽薪之策。

第三篇　让人头疼的金融改革

第九章　"钱荒"：国有商业银行
不再高枕无忧

最近一段时间的"钱荒"，我们可以把它理解为几大国有商业银行向央行的"逼宫"，但"钱荒"的背后，其实是我们国有商业银行长期垄断，以及政府动不动大规模刺激经济，把它们给惯坏了，而国有商业银行本身也成为阻碍银行市场化改革的真正阻力。银行业市场化改革虽然很艰难，但我们还是看到了央行和银监会一些积极的动作，而民间银行和互联网金融的突破，也已经成为倒逼改革的一股不可忽视的力量。

从 2013 年 5 月中旬开始的一个多月时间里，我们的商业银行系统闹起了"钱荒"，银行之间疯狂相互借钱来缓解资金压力。6 月 20 日，中国银行

间市场彻底"疯狂",当天银行间隔夜回购利率一度达到了30%,7天回购利率最高达到28%,刷新历史纪录;而在平时,这两个利率一般都在3%左右。与此同时,"钱荒"的附带效应不断发酵,上证指数在6月20日当天大跌2. 77%,并在几天后跌穿2000点大关。2013年6月全月上证综指跌幅高达13. 97%,是2009年8月以来最大单月跌幅。如此汹涌的"钱荒"到底是怎么来的?

一、哪里来的"钱荒"

我们的国有商业银行总是不让人省心,先是2011年、2012年在股票市场发生被看空,甚至跌破净值的情况,之后在2013年5月,整个商业银行系统又闹起了"钱荒",财大气粗的银行竟然缺钱了。

各位是不是好奇,这一次的"钱荒"是怎么来的?我们看下《华尔街日报》的报道,2013年6月19日我们的央行开了一次内部会议,《华尔街日报》披露了一些会议纪要,这里面说"6月份前10天,商业银行发放了总计1万亿元的新增人民币贷款"。因为这么大规模的投放是前所未有的,所以引起了央行的特别关注。那我们的央行再仔细一查,又发现在新增贷款里,差不多70%都是短期票据。各位要晓得,这些以短期票据形式发放的贷款,大部分都不会出现在银行的资产负债表上,这就相当于说,这部分贷款可以不受监管部门的贷款额度限制。所以我们的商业银行是想发放多少贷款就发多少，想发给谁就发给谁。

那我们的商业银行为什么要一下子放出这么多贷款？原因有两个。

第一，巨额利润使得国有商业银行不停放贷。我过去已经反复强调了我的观点，我们国有银行的盈利能力非常差，赚钱基本都靠吃利息差。同时，又因为这些商业银行背后有国家信誉作保，老百姓会把大部分钱都放在这几个国有银行里。所以让这些国有银行仅仅凭借这么粗放的经营，就获得了巨大的资产规模和收益。也是因为这个原因，2013 年 7 月，中国工商银行在英国的《银行家杂志》评选的年度 1000 家大银行排行榜上，竟然挤掉了美银和摩根大通，高居榜首！

除了信贷业务，还有一种特殊的利息收益，就是商业银行透过信托理财产品获利。根据央行公布的 2013 年第一季度社会融资总额数据分析，我发现信托贷款在全社会融资总额中的比重，在快速上升。什么是信托贷款呢？我给各位解释一下，就是银行把钱贷给信托机构，再由它对外发放贷款。我给各位举个例子，我们对房地产市场的打压政策之一就是，让银行停止给保利、SOHO 这样的大型房地产公司之外的，不具有"贷款资质"的小房地产开发商发放贷款。但是如果信托机构看上了一个由小开发商主导的高收益房地产项目，觉得贷款给它能赚钱，但自己手里又没有钱，就会找我们的商业银行借钱，然后贷给开发商；或者说倒着来，先是我们的商业银行觉得贷款给某一个"不具有贷款资质"的开发商能获得高回报，但它自己没法直接贷款，就把钱先贷给一个信托机构，然后再透过信托贷款的方式，把钱借给开发商。虽然我们的银监会在 2010 年就说要"堵漏"，要商业银行把贷给

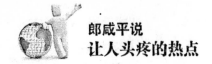

信托机构的钱移回资产负债表里，但是我们的商业银行总是有办法"打擦边球"，对信托机构是"照贷不误"。所以到目前为止，我们能看到，资金还在从银行源源不断地流入信托机构。在央行公布的 2013 年第一季度社会融资情况中，信托贷款占比就达到 13.4%，同比上升了 8.8%。

我们可以再深入地追究一下商业银行给信托机构的这些钱，都是从哪里来的。当然，一种可能是银行本身就很有钱，银行拿自己的钱贷给信托机构；另外一种情况，银行本身并没有那么多钱，但它又想挣高回报，怎么办呢？它就向老百姓发放信托理财产品，比如说以年回报率5%的价格从老百姓手里拿到钱，再转给信托机构，然后由信贷机构贷给开发商。商业银行贷给开发商的利息是多少呢？可能是 15%。这里面，信托机构自己拿走大概 3%，剩下的 12% 就是从银行拿款要付的利息。所以我们的商业银行即使扣除各种手续费，还有应该给老百姓的回报，自己也可以拿到 5% 左右的收益。说到这，各位明白我们的商业银行为什么要这么疯狂放贷、疯狂卖理财产品了吧。

在我们的政府严控房地产信贷的最近几年里，银行信贷量在全社会融资规模中的比例是呈下降趋势的，但是，信托、典当、租赁这些被西方金融界叫作"影子银行"的金融机构，它们的对外贷款规模却在不断上升。我给各位提供一组来自摩根大通的数据，2010 - -2012 年，"影子银行"的贷款余额增加了一倍，达到人民币 36 万亿元。这里面，信托机构是"影子银行"的主要组成部分，根据摩根大通的数据，它在 2010 - -2012 年间的资产规模扩大了差不多 2 倍，达到了 7.47 万亿元的规模，超过了保险行业的资产总额，成为国内仅次于商业银行的第二大金融服务行业。其实我们的政府从 2010 年，也就是信托机构开始快速发展的时候，就提出要对它的发展进行管控。但结果却是，我们的大型商业银行在利益的驱使下自己开设信托公司，或者想方设法地购买其他公司的信托牌照，并且有意不按银监会的要求，而是透过"打擦边球"的方式继续让银行向信托机构贷款，结果就是银行对外放贷过多，广义货币供应量（M2）突破了 100 万亿关口，我们面临着非常大的通货膨胀压力。

"影子银行"又叫作影子金融体系，或者影子银行系统（Shadow Banking system），这一概念诞生于 2007 年的美联储年度会议。2011 年 4 月金融稳定理事会（FSB）对"影子银行"作了严格的界定，专指"银行监管体系之外，可能引发系统性风险和监管套利等问题的信用中介体系"。在欧美国家，"影子银行"主要是指围绕证券化推动的金融创新工具，但大多数工具在中国的金融市场里并不存在。此外，目前在中国，信托、理财等业务名义上受银监会的监管，与金融稳定理事会对"影子银行"的定义不符，。所以在中国官方的解读中，信托、理财等不算"影子银行"范畴。但因我国的银行和信托等金融机构透过"打擦边球"的方式，使得信托等机构的行为确实存在一"可能引发系统性风险和监管套利等问题"，故在文中将其称作"影子银行"。

第二，我们的国有银行揣测政府仍会以大规模投资的方式拉动经济增速，所以有恃无恐的继续大规模放贷。熟悉我的朋友应该都晓得，我在 2008 年年底大规模投资计划一问世就说过，它的投放很可能会带来通货膨

胀。其实，我认为政府也在担心这一点，所以我们看到了什么？政府一方面鼓励国有银行给"铁、公、基"项目贷款，一方面又收紧股市、楼市还有民间资本，希望"一手松、一手紧"来防通胀。但结果是，我们的商业银行不顾政府的指令，大肆利用信托这个"影子银行"渠道对外超量发放贷款，既填满了自己的腰包，又支撑了"看上去很美"的 GDP 增速，最后留下 M2 突破 100 万亿，物价普遍上涨这个恶果给我们的普通老百姓。

我们这一届新政府上台后，其实已经非常明确地表示过，对经济增速放缓有容忍度，并且提出要让经济有质量地健康发展。但是我们的商业银行对政策产生了误判。《华尔街日报》披露的央行内部会议纪要里说："中国央行认为，商业银行之所以会大规模放贷，是因为一些银行认为政府会在经济放缓时出台刺激措施，所以提前布局占位。其中，中国邮政储蓄银行、中信银行、民生银行、平安银行遭到点名批评。"

2013 年 5 月 13 日，李克强总理在国务院机构职能转交动员电视电话会议上公开表示："要实现今年发展的预期目标，靠刺激政策、政府直接投资，空间已不大，还必须依靠市场机制。" 2013 年 6 月 8 日，李克强总理在环渤海省份经济工作座谈会上表示，要"通过激活货币信贷存量支持实体经济发展"。6 月 19 日，他在国务院常务会议上再次强调，"把稳健的货币政策坚持住、发挥好，合理保持货币总量"。

关于这场拉锯战的过程各位应该都晓得了，在"钱荒"之初，我们的政府坚持不出手，要商业银行自己解决流动性问题。但是到了 6 月 20 日，我们的商业银行彻底因为缺钱而"疯狂"，当天商业银行间隔夜回购利率竟然一度高达30%，7天回购利率最高达到28%。在平时，这两个利率一般都只是在3%左右。最终的结果各位也应该都晓得，我们的政府在最后还是出手了。

透过上面的分析，各位可以想想看，这次"钱荒"到底是因为我们的商业银行真的没有钱了呢，还是说在倒逼政府妥协，要央行出手补充流动性？我对此不作评价。但透过这次事件，我们可以看到，银行业的改革其实已迫在眉睫。

二、银行业改革。真正的阻力在哪里

其实，这一次的"钱荒"暴露出了中国银行业的深层问题：因为在地方融资平台贷款、房地产贷款等领域的风险敞口过大，又没有认真做好拨备，做到上级管理部门要求的"谨慎"，反而为了赚取利益放任"影子银行"超发贷款，不断增加通货膨胀压力。近几年，我们也谈到了一些银行改革，比如推进利率市场化，降低金融业入门门槛，允许民资进入等。坦白讲，这场改革的推进会非常艰难，因为我发现并不是所有人都希望推进改革。我在这里分三个角度给各位分析一下。

2003年之后，国有商业银行实行了新一轮改革，国有五大行在此期间纷纷实现了改制上市，推动了我国银行体系的现代化进程，使得国有商业银行的信贷决策相对独立，并削弱了因行政化干预造成不良资产的生成机制，

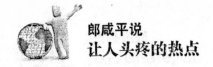

这被认为是中国总体改革中的可圈可点之处。但在 2008 年本轮全球经，济危机爆发之后，我们的银行体系出现了信贷的非理性增长。这都源于政府出台了大规模投资计划，让国有银行所在的中国金融体系，再次扛起了"准财政职能"，即通过大量输出贷款，支持政府号召的基础建设工程，而这与我们最初设定的金融市场化的目标，是背道而驰的。目前。我'国金融界普遍认可的正确改革路径应该是思考如何使利率市场化，如何开展综合经营试点等，但这些议题因各方利益的角逐、博弈，推进得非常缓慢。

首先从央行的角度看看我们的银行改革。2012 年 6 月 8 日，央行时隔三年半，第一次降息了，降了 0.25%。另外，在这次的央行公告里还包含着一个非常重要的信息，就是存款利息可以上浮 10%，贷款利息可以下调 20%。也就是说，如果银行想吸收存款，可以调高 10% 的利息；贷款呢，银行可以打八折放贷出去。7 月 6 日，央行再次扩大贷款利率下浮空间，说以后银行放贷利率甚至可以打个七折。两次调整利率浮动区间后，银行息差分别下降约 25 个基点和 10 个基点。这样把过去最为人诟病的银行巨额存贷差的问题，作了某种程度的降低，让银行的利润空间大幅度压缩。我觉得央行的这个政策让利率市场化又更进了一步。

我们再从商业银行的角度来看改革，在大力推行金融市场化的过程中，我们的国有商业银行曾经经历过由计划到市场的痛苦转变。但是 2008 年年底我们推出大规模投资计划后，国有商业银行大量放贷，这样做既支持政府号召的基础建设工程，又使自己重获"准财政职能"。作为商业性质的银行，当然想挣钱，挣更多的钱，所以肯定不愿停止给小型房地产企业放贷，也不愿意履行央行提倡的利率市场化。

2012 年的一场央行和商业银行的政策座谈会上，央行的货币政策司负责人问了现场的银行行长一句话，如果推动利率市场化的话，银行方面有什么意见。结果大家基本上都表示反对。他们的理由是：第一，政府的融资平台可能承受不住这么高的利息；第二，房地产商在目前市场低迷的情况下，可能也承受不了这么高的利息。透过这两个理由，各位应该看到推行利率市场化，真正的阻力在哪里了吧。

接下来，我们再看看银监会对于改革的态度。2010 年 5 月份，国务院公布了"新 36 条"，也就是《国务院关于鼓励和引导民间投资健康发展的若干意见》，鼓励民营企业进入包括银行在内的垄断性行业。"新 36 条"刚刚出台的时候，市场上曾经还是比较乐观的，以为民营企业真的有机会开办自己的银行了。但是 2012 年 5 月份，银监会出台了一则《关于鼓励和引导民间资本进入银行业的实施意见》，将这种乐观情绪彻底浇灭。按照这个《意见》的要求，民营的小额贷款公司要想成立村镇银行，就必须找一个国有商业银行当大股东。各位想想看，本来是要透过民间资本，打破国有商业银行的垄断，现在却又要求大家依靠这些国有商业银行，这怎么可能呢？

所以说银行改革的现状是，央行是在往金融市场化的方向引导；银监会是有限度地推进改革；至于我们的国有商业银行，它们作为既得利益者，是能不改革就不改革。

三、垄断下的蛋 VS 民间金融

如果说要打破银行的垄断，我们就要先分析一下形成这种垄断的原因。

首先，国有商业银行为什么能获得这么多的信贷指标？很简单，就是因为它本身实力雄厚，很有钱。那它的钱来自哪里呢，当然是它的储户。但是，我要说的是，储户愿意把钱放到国有银行里，绝对不是因为它给的利息高，而是因为我们的民营金融机构，根本没有得到一个可以和国有银行公平竞争储户的机会。我们先说小额贷款公司，香港规定信贷公司可以吸收50万元以上的大额存款，那么我们的小额贷款公司呢？它们只可以在最初成立的时候注入资金，然后一旦开始运营就只能放贷，不能吸纳新的存款。也就是说，一家小额贷款公司，它最开始有多少钱拿来放贷，那就一直用这么多钱放贷。很多小额贷款公司年初把钱放出去，一整年就没事可做了，只等着年底收回本息，因为它没有多余的钱可以用。

再说村镇银行，各位晓得吗？村镇银行很难接入银联系统和央行系统，甚至有些村镇银行连央行清算系统的行号都没有，这就导致了储户把钱存到村镇银行以后，只能在白天到柜台去取款，甚至有的村镇银行开的账户，既不能汇款，也不能接受汇款，这样村镇银行当然很难吸收到存款了。这还导致另外一个问题，村镇银行和小额贷款公司因为没有足够的存款，平摊到每笔资金里的税费就会特别高，平均下来大概是国有商业银行和城商银行的十几倍。

同时，由于国有商业银行手里拿着大量的存款和信贷指标，我们的企业几乎没有选择的余地，只能到它们那里去开户。你一旦开了户，这国有五大行就会要求你把存款、往来账户都划归过去。当然，就算不要求，你也会这么做，因为五大行故意提高了你和其他银行间的结算费，如果你跨行转账的话，就需要付一大笔手续费，这就让你不得不把账户都放在同一家银行里。可是，各位晓不晓得，这其实是非常不公平的，因为这严重违反了"网络中立"。银行之间结算用的都是银联系统或者央行的跨行资金清算系统，央行和银联都没对银行歧视收费，国有五大行有什么道理乱收费？

各位看到了吧，五大行透过信贷渠道控制了企业，这就相当于控制了企业员工的工资账户，甚至是信用卡账户。不仅如此，国有五大行还基本垄断了退休金、住房公积金这些个人业务，从这个角度来讲，其实也解释了为什么国有银行人满为患，而其他银行那么冷清了。

其实，我们的银行业明显竞争不足。美国国土面积和我们差不多，但是美国有7723家银行，那我们有多少家呢？155家，这里面真正做到覆盖全国的商业银行，除国有五大行外，只有12家。但是即便是这12家银行都多少和国有五大行有关联，导致12家银行和国有五大行都没有什么外在的竞争压力。这也是为什么这些银行没有动力改善业务水平的原因所在。比如，我在国外的时候，大部分时候都是用支票的，而且都是免费的。当然，我国的香港特区也能用。但是，国内大陆地区的银行就不愿意提供这个服务，道理很简单，因为个人支票的风险完全在银行，银行要去识别签字、识别支票

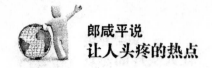

真伪。我们的银行不愿意这么麻烦，更不愿意承担这个风险。

目前，我国真正能够做到业务覆盖全国的商业银行只有。17 家，即除去国有五大商业，银行外，只有 12 家全国性商业银行。但实际上，这 12 家商业银行在建立之初几乎都有官方背景，而在这些银行成立后的 16 年中，银监会未再批准成立新银行。在 12 家银行中，招商银行、中信银行、深圳发展银行（现已被平安银行合并）、恒丰银行成立于 1987 年；兴业银行、广发银行成立于 1988 年；光大银行、华夏银行、浦发银行成立于 1992 年；浙商银行成立于 1993 年；民生银行、渤海银行成立于 1996 年。其中，浙商银行的前身是中外合资的浙江商业银行，算是半个民营银行；民生银行是由全国工商联牵头组建的，算是唯一的纯民营银行。

四、台州银行：我看到了中国银行改革的曙光

那么，如何才能打破这种垄断呢？我认为我们应该先对银行现有的业务做个分析。最近几年，我国政府三令五申地要求各大商业银行，多放贷给我们的中小企业，也就是民营企业。但是对于我们的银行来讲，贷款给中小企业的信用风险很高，而且单笔业务流程麻烦，获利还少。如果它们把钱贷给大企业和大型政府项目的话，动辄十几亿甚至数百亿，成本低，而且大多数还有地方政府的信用作背书，不怕企业违约。如果是我的话，我当然也会钱借给大企业。

按照以上分析，我觉得我们其实没有必要非要搞"一刀切"，既然国有银行习惯做"大生意"，那我们就不要要求它非得给中小企业放贷。我们应该做的是，让民营金融机构介入，直接跟中小企业对接。而且，已经有地方这么做了，比如浙江台州。

浙江台州有 3 家民营的一级法人银行，分别是台州市商业银行、浙江泰隆商业银行和浙江民泰商业银行。在台州，当地的大企业和大客户都被国有商业银行拿去了，但是这 3 家民营银行还能活得非常好，因为它们把服务对象锁定在了中小工商户身上。给各位看一组数据，台州商业银行 2011 年的年报显示，它最大一单客户的贷款余额是 9000 万，和国有银行动不动就几亿甚至几十亿的贷款、授信额相比差远了；另外，它最大的 10 家客户的贷款余额合计是 5.26 亿，占贷款总额的 1.49%；那么授信余额在 500 万元以下的小微企业呢？它们的贷款余额占比高达 80%。

这 3 家银行是如何跟这么多小企业打交道的呢？我举个例子好了，我们的小工商户都习惯现金交易，而且非常辛苦，通常要忙到晚上六七点钟，这个时候的国有银行早就关大门了，这些小工商户没法把这一天赚到的钱存进去。那么这 3 家民营银行就说了，把钱存到我这里吧，我们把营业时间调整到了晚上 7 点半，而且遇到你们忙的季节，我们就晚上九、十点钟再关门。看到了没有，这才叫服务。我再举个例子，我们的小工商户刚刚开始创业的时候，基本没什么钱的，他们去银行贷款，也没有什么值钱的抵押物。那台州的民营银行就说了，我们可以提供无抵押贷款。从资料上看，这几家民营银行的贷款里 95% 都是无抵押贷款。但让人惊喜的是，贷款不良率只有 1%

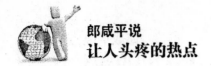

不到。那这些民营银行又是怎么做到的呢？中国人很重孝道，也很重视家庭，台州的民营银行就想了一个办法，如果你要贷款，就让你的父母或者子女担保，各位想想看，借款人还会违约吗？

除此之外，台州的民营银行对放贷对象的运营情况非常了解，那它们是怎么做的呢？很简单，比如说，银行派客户经理在面摊上数一天卖了多少碗面条，在工厂里算做塑料衣架每年能挣多少钱，到放贷对象家里数，看他们养了多少头猪，还要考虑有几头是母的。然后查水表、查电表和海关报表等等，透过一切方法掌握客户的真实信息。它们能做到这种程度，当然能把坏账控制在1%以内了。

台州银行不仅在服务小微企业上不断创新，也在资产管理方面获得了政府的肯定和支持。2012'年我国重启信贷资产证券化，继国开行和大型商业银行后，台州商业银行、北京银行和哈尔滨银行3家成为了城商行信贷资产证券化的首轮试点银行。根据《21世纪经济报道》的报道，2012年12月底，台州银行已将资产证券化项目的相关材料上报浙江省银监局。但与国开行101亿元，中行、交行30亿元的资产证券化规模相比，3家试点城商行的额度总共只有20亿元，而台州银行截至2012年6月底的各项贷款和垫款余额就已达366。39亿元。

我们城商行的发展模式，其实跟欧洲商业银行非常接近。德国支持成立更多的中小银行，根据资料显示，德国的两大银行——德意志银行和商业银行，必须和1200家合作银行、438家公立储蓄银行，以及10家州立储蓄银行进行全面竞争。现在，我们台州的3家民营银行让我看到了打破国有商业银行垄断的希望，在台商行、泰隆银行所在的路桥区，国有商业银行的存贷市场份额从60%多降到了30%。国有商业银行感觉到了压力，也开始推出了很多针对中小企业的金融服务。台州民间银行的发展，还有另外一个好处：因为中小微企业基本都能从这些民间银行贷到款，所以地下金融就没有那么活跃了，而相对于很多地方出现的高利贷情况来讲，台州的整个金融系统显然要健康得多。

五、破除银行垄断的又一匹黑马：互联网金融

我们的银行业改革，除了靠像台州民营银行在偏远处艰难推进之外，还有一匹黑马的力量不容小觑。这个力量就是阿里巴巴的阿里金融。这个系统，看上去是一个非常谦卑的金融服务商，它只针对我们的中小企业提供贷款，但其实没有这么简单。为什么这么说？我分三个部分给各位分析一下。

首先，阿里巴巴有支付宝，喜欢或者不喜欢网购的朋友应该都知道支付宝。它是淘宝和天猫商城的结算工具，买东西的人把钱打进支付宝，收到卖家发出的货以后，确认收货，然后把货款打入卖家的账户。一般情况下，资金到账需要7天。也就是说，支付宝作为网络支付平台，每天都有大量的资金涌入，停留7天时间才会离开，在这7天里，阿里巴巴对这些资金有绝对的支配权。这笔钱有多少呢？2012年12月3日，淘宝在它的公告栏里宣布，淘宝和天猫截至11月30日的年交易额已经达到了1万亿。所以说，阿里巴

巴是很有钱的。它在浙江和重庆建立的两家小额贷款公司，注册资金总计16个亿。2012年上半年，阿里金融的小额贷款业务共投放贷款130亿，如果从2010年阿里巴巴开始实施小额贷款业务算起，那么它累计投放的已经达到了280个亿。

那阿里巴巴把这些钱都贷给谁了呢？我们发现，它的贷款对象主要是淘宝和天猫上的卖家。我给各位看一个数据，自2010年开始，阿里巴巴已经向20多万家客户，也就是小微企业和个人创业者提供了贷款，每笔贷款大约都在7000元左右。在这里我要特别强调一下，阿里巴巴主要向它的客户提供订单贷款和信用贷款，其中的信用贷款，是不需要任何抵押，也不需要任何担保的，换做我们的国有商业银行，根本不愿意做。

说到这里，各位可能要担心阿里巴巴的风控问题了，这也是我要说的第三点。关于这点，各位完全没有必要担心，因为阿里巴巴有非常牢固的风控机制，甚至比商业银行做的还要好。首先，阿里巴巴贷款的对象都是它网络平台上的会员，它们在申请贷款的时候，要提供近一年的销售总额、经营成本、净利润率、库存量、应收账款等财务数据，还有它们在电商平台上的订单占年销售总额的比率，以及和前两大下游客户的合作时间和所占销售额比率等详细信息。其次，申请到贷款以后，这些会员的交易、付款记录额都在阿里巴巴的掌控之内，经营上出现任何问题，阿里巴巴都能及时发现，这样就能把风险降到最低。可以这么说，阿里巴巴的电商平台，就是一座信用富矿。利用这个平台，阿里金融能把不良率控制在0.9%以下。正是由于这三点优势的保障，阿里金融的发展速度简直是惊人的。2012年7月份，阿里金融的单日利息收入已经达到了 100 万元，这就意味着，它一年光利息收入就能有 3．65 亿元。

2012 年 8 月份的时候，阿里巴巴、中国平安和腾讯宣布共同申报成立一家合作企业，从事互联网虚拟财产保险等一系列互联网金融产品业务。我再深入地说一下这个事情，阿里巴巴的互联网金融，其实是新的技术手段（互联网，信息化）带来了新的商业模式（电子商务，小微企业家社区），然后又从这种新的商业模式中衍生出了一种新的金融模式。我们一直在讨论如何打破金融垄断，可直到现在也没有说出一个绝对可行的方案。但是，阿里巴巴却已经悄悄地打开了一个缺口。

坦白讲，我非常看好南阿里巴巴领头的互联网金融，也相信它会成为促进我们银行业改革的主要推动力之一。而且，阿里巴巴金融这个缺口一旦打开，一定会出现更多的金融创新模式。我们的几大国有商业银行如果看不到这种来自民间金融的力量，如果不能直面挑战，还龟缩在垄断的大梦里不愿意清醒，那么我可以很明确地说，你们的苦日子就要来了。

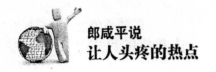
第十章 让人头疼的中国股市：爱跌不爱涨

2013 年 3 月，郭树清不再担任证监会主席，改任山东省代省长。尽管任期只有短暂的 18 个月，但他在任期间出台了包括强制分红、调低印花税等多项提振股市的政策，被股民津津乐道。但遗憾的是，在诸多利好消息密集出台的同时，我们的股市依然萎靡不振，甚至在 2012 年年末的"跌跌不休"中，一度掉头进入了"1 时代"。为什么我们的股市如此死气沉沉？郭树清出台的提振政策为什么没能发挥预期的效果？

一、改革不等于什么都管

今年 3 月，雷厉风行的原证监会主席郭树清离任。我本人对此感到非常遗憾，因为我觉得他是"中国股市改革第一人"。在郭树清之前，10 年基本没推出过几次改革政策。但是，郭树清上台之后，紧密推出了很多项政策。据统计，在郭树清上任的 18 个月 508 天里，总共推出了 70 多项政策，平均七天一个政策。这些政策基本都回应了媒体、专家、学者对股市的质疑和建议，尤其对上市公司吝惜分红、退市制度形同虚设等几个重大的股市顽疾进行了改革。我个人认为，郭树清在任期间为证监会的改革提供了一个非常好的开端。我总结了一下他的成绩，有以下这么四个方面：

第一，强制公司分红。上市公司为此不得不改变一下铁公鸡的形象，拿出一点经营成绩同股民分享。据统计，2012 年一年我们上市公司的分红金额增长了 22%。另外，在强制分红的同时，证监会还收紧了 IPO 的审批，同 2011 年相比，IPO 筹资减少了 67%。坦白讲，这两项政策合在一起，对股民是实实在在的利好。

第二，打击内幕交易。打老虎还谈不上，但郭树清在任上，还是打了几只苍蝇的。有人作了统计，郭树清上任后立案调查 380 起，查处人数 195 人，涉案金额 4.36 亿元。就连证监会上市公司并购重组审核委委员吴建敏都被揪了出来。打击力度可谓证监会史上最严。

第三，强化退市机制。中国股市长期没有洗牌，充斥着太多的垃圾公司。但是，在郭树清上任期间，＊sT 炎黄和＊sT 创智被摘牌，虽然只有两家公司，但是我看到了一个好的开头。

第四，引入更多机构投资人。郭树清在任时批复合格的境外机构投资者（QFII）72 家，比上一年增加了两倍还多，包括香港和台湾的机构都被允许进场，更多资金注入 A 股市场，这在一定程度上，提振了股市。

我觉得郭树清的思路是对的，他发现了问题在哪里，也在想办法修正这些问题。但是，我觉得还是存在很多可以改进的地方。比如说，我觉得我们

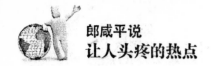

的证监会跟政府一样，在某些不该管的地方管得太多太细了。

举个例子。2012 年 4 月份的时候，证监会出台了新股发行《指导意见》，里面提到"承销商可以推荐 5 到 10 名投资经验比较丰富的个人投资者，一同进行网下询价配售"。但是我不晓得证监会是不是注意到，很多证券公司本身就是托，这已经不是什么秘密了，如果说再找来 5 到 10 个"有经验的"投资人，那我们就非常怀疑这些人也可能是托。我们还发现，要想进入网下询价，准入门槛还挺高，基本都得是大户或超级大户，那我想请问，这些人能代表中小股民利益吗？所以我说证监会的这个规定，只是让机构找来更多的托，根本没有解决机构本身就是托的问题。而且，新股询价真的有这么复杂吗？证监会有必要把规则定得这么细吗？

还有，证监会还规定提高网下的配售比例，原则上不得少于 50%。这个规定也挺搞笑的，因为这个本身应该是市场行为，而不是说由证监会给出一个硬性的规定。各位想想看，如果发行的是好股票，网下配售自然会增加。这是靠承销商来确定，而不是靠证监会来规定的，比如说，承销商如果认为，新发行的是只好股票，网下购买的需求就会多，那他们自然会增加网下配售的比例。如果这只股票不是很好，市场反应就可能比较平淡，那机构投资人的配购比例自然会提高。香港的股市就是这样的。所以说，关于这点，证监会必须搞清楚。证监会的这种规定太繁琐了，根本没有必要这么做。

以上说的是对新股发行方面的改革措施，我们再来看看再融资。根据《第一财经日报》的报道，2011 年我们总共有 277 只新股，总融资额 2720

亿，但是增发却高达3580个亿。也就是说，再融资是吸金主力。证监会就说了，它要对再融资的信息披露多加监管，对再融资的申请程序也严加审批。证监会这个话没有错，但是你不觉得是否增发应该是股东大会的决定吗？不觉得增发的否决权应该交给股民，而不是交给证监会吗？证监会担心增发的信息是否真实，这种担心是有道理的，但是不能因为你担心，就插手去管。原因还在于，这个事情是市场行为，就应该交给市场来管。

我提的这三点都是说证监会的改革改得太细了，其实这些市场行为，都是不该由政府来做的。我觉得今天中国股市就是管得过细，让整个股市越管越僵化，股市也越来越难振兴。我建议，以后证监会能不能换一个思路，只把大的方面管好，小的方面，尤其是本该由市场作为的，让市场自己去调节，这样，才能让中国的股市进入一个健康的轨道。

二、中国股市。仍未摆脱"政策市"

遗憾的是，无论我们怎样频繁地出台提振股市的政策，A股市场都死气沉沉。比如2012年5月12日，我们的央行宣布，调低存款准备金率0.5个百分点。这本来是个利好消息，但是新的一周股市一开市，股价并没有涨，大盘反而跌了一点。另外，就是郭树清实行的调低印花税，结果无效；提出退市机制，还是无效。郭树清在任期间，沪指不但创出1949点的新低，而且在美欧股市被次贷危机和欧债危机重创后仍高歌猛进的国际背景下，整

个 A 股市场没有任何回暖的迹象。好像 A 股总是在和我们的领导层唱反调，这到底是怎么回事？

20 世纪 90 年代，我们的国有企业连年亏损、效率低下、产品积压、资金链断裂，政府瞄准刚刚起步的中国股市，期望通过国有企业改制上市来为国企改革解决资金问题。此后，我国实行了扶持国有企业的上市"指标配额制"，将股票发行的权限从沪深两市收回到中央，中央按系统分配给各部委若干上市指标，然后再下分给各地的国有企业。在国有企业扎堆上市的过程中，银行和财政原本给予的贷款和拨款，先变成债。权，而后变成股权，再在股票市场上抛售给股民，即用老百姓的钱补上了国有企业的资金窟窿。因为分到上市指标的大多是各地最困难的国企，因此很多国企在上市过程中存在明显的财务作假等现象。而资格审核机构、中介机构等在强大的行政意志干预下，让这些问题企业成功上市，既破坏了资本市场让资源有效分配的属性，又为股市和股民埋下了隐患。

我认为归根结底，是我们股市的定位问题。我们的股市到底是一个为企业融资服务的市场，还是一个为投资者服务的市场？

如果侧重融资功能，那么政策就要以保障企业的利益为主；如果侧重投资功能，那么政策就要以保护中小投资者为主。但这些年我们看到的是，只要经济出现一点问题，政府总喜欢出台各种各样的政策，将资金往股市里边赶，以此来缓解企业的融资难题，最终达到提振经济的目的。

其实郭树清在这个问题上也很摇摆，他不止一次地说，资本市场要为实体经济发展服务，要让企业利用资本市场来提高直接融资比例。

但他也意识到，过分重视融资功能而忽视投资功能，迟早造成涸泽而渔，如果投资者的利益得不到充分保障，市场终究会因为缺乏最后的买家而自断生路。所以说，保护中小股民也应该是证监会无可推脱的责任。

从其他发达国家的经验来看，股市是这样一个场所：它搭建了一个平台，把社会上的闲置资金交给善于经营的企业家去经营，然后把经营获得的利润分给投资者，这样的结果就是双赢，企业挣钱，股民也挣钱，双赢之下，股市也好，经济也好，都得到了发展。但是在中国，股市创立的背景、宗旨与国外市场都有很大的不同，它从一开始就是为国有企业融资服务的。

1990 年前后，中国发生了一次大规模的外资撤资潮，很多国有企业到了难以维持的局面。国有企业需要注入大量的资金，怎么办呢？

这个时候，试行直接融资，成立证券交易所就被提上了日程。那时的民营企业还很少，市面上几乎全是国有企业。所以成立上交所、深交所的宗旨就是，为公有制经济服务，为国企服务。于是大批国企，无论业绩好坏，都排队上市融资。

到 2011 年 12 月，中国股市总市值 26 万亿，国企总市值就占到八成，高达 20.3 万亿。但国企上市的目的，就是融资圈钱，它们既不想把企业做得漂亮，也不想给股民回报。这就违背了一条最起码的交易原则——双赢，而偏离了双赢的股市怎么可能健康发展呢？

让人感觉糟糕的是，这样的指导思想到现在仍然没有改变。我们的十二

五规划说："大力发展金融市场，继续鼓励金融创新，显著提高直接融资比重。"——说白了，就是鼓励"圈钱"！

"圈钱"成了中国股市存在之根本。所以说，我们的股市光输血不造血，血从老百姓身上，输到企业身上，但企业从没想过要用经营利润来回报老百姓。这才是我们股市最大的问题，不把这个问题解决了，什么改革都是浮于表面。当然，要解决这个问题，需要触动很多人的利益，会很难，用李克强总理的话说，就是"触动利益比触动灵魂都难"。

因为利益和灵魂一样，都是看不见摸不着，但又真实存在、掌控全局的。而对既得利益的触动，非一朝一夕可行。所以郭树清的改革收效不大，老百姓也并不买账。

说完了这个最根本的问题，我用上证指数的走势来跟各位解释一下"政策市"的问题，其实每一波行情背后都是有政策根源的。各位一定要记牢，关于股市的政策分为两种：一种类似印花税、强制分红、强制退市这样只针对股市的技术性政策，它们并不足以推动大盘涨跌；另一种是四亿投资计划、上调利率这类对包括股市在内的整个国民经济都普遍具有影响力的政策，只有这类政策才能撼动股市。股市我希望各位能够透过现象抓到本质——中国股市不单是经济的晴雨表，某种程度上也是经济政策的晴雨表。

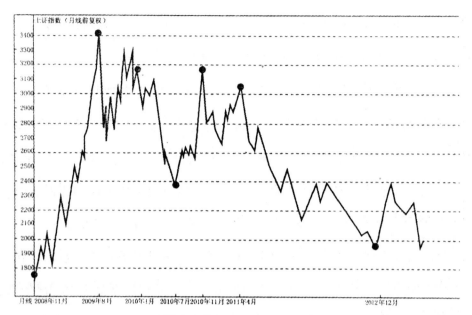

上证指数走势图（2008 年 11 月至今）

我们先来看这波行情的起点，2008 年的 11 月 10 日，当时上证指数是 1782 点。政府在这个时候推出了大规模投资计划，给市场打了一剂强心针，市场马上就激动了，9 个月涨到 3478 点，这是第二个点，2009 年 8 月 4 日。之后，药效过了，股市开始缓慢向下震荡。到了第三个点，2010 年 1 月 12 日，央行决定，采取紧缩的货币政策，从这个点到 2011 年 7 月 7 日，一年半的时间里，央行 13 次上调准备金，5 次上调利率，平均一个半月就来一次紧缩，所以市场在此间振荡下滑到 2402 点，这是紧缩的必然结果。第四个点到第五个点，居然还涨到了 3186，这段行情很奇怪，本来应该下跌，但还像打了鸡血一样往上走，结果就出来一个狙击机会了。

原来 2010 年 11 月 11 日的时候，伦敦高盛发出电邮，要求亚洲投资人

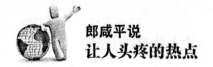
抛出 H 股，其实我也是到这个时候才发现，我们上证十大权重股统统都是有 H 股的，A 股跟 H 股有一个联动关系，所以第二天 A 股马上暴跌 4.4%，一周之内下跌 10%。股价下跌，在内地一般会出现庄家被套的情况，因为内地庄家的水平太低了，高盛这种国际大佬怎么会被套牢呢？它趁着市场大跌的时候，在新加坡卖空 A50 指数，各位知道这个 A50 指数是什么吗？就是和我们 A 股股指挂钩、同涨同跌的指数，结果 A 股 11 月 12 日暴跌，高盛卖空 3500 亿的 A50 指数，跌 10% 就赚了 350 亿，我们老百姓呢，亏了 1.3 万亿！股指扛不住，迅速下滑。到了第六个点，政府大规模投资以后，各级地方政府发生了债务危机。20 万亿的债务，一年光利息就是 1.5 万亿，还不起怎么办？只好违约。就在这个 3087 点上，第一个省发生了债务违约，之后多个省也陆续开始违约，股指从此跌到第七个点，也就是 2012 年 12 月 4 日的 1949 点，一棒子打回到金融海啸的原形——跟 1782 点很接近。在这个点位附近迎来了最后一波行情，12 月 10 日，股指又开始涨了，这波行情涨了 20% 多，什么原因？因为在这个时候，报道说我们的社会融资总额，也就是银行信贷加上理财产品，去年达到了 15.8 万亿，这相当于第二剂强心针。但是第二剂强心针，在持续时间和效果上，肯定不如第一剂，所以到 2444 点的时候，药效又过了，之后又开始走下坡路。透过以上分析，各位看到吧，我们的股市其实就是一个"政策市"，当然，其中还掺杂着高盛狙击的因素。

三、治标必须先治本

各位已经看到了，我们的股市既是先天畸形，后天又有点营养不良，所以问题不是短期内能解决的。我提几个思路，希望我们对股市的改革不再停留在治标不治本的层面。

第一个，是我再怎么说都不嫌多的"藏富于民"思想。我一再强调走"民富路线"的重要性。美国股市在次贷危机后，股指从6400多点飙升到15000多点，为什么它这么快就能翻身？因为美国的经济中，消费占比是70%多，经济要靠老百姓消费才能起来，政府为了拉动百姓消费，一个是减税，一个是让股市显现出赚钱效应。我记得很清楚，在2009年3月3日的时候，美国股指跌到谷底。奥巴马在出台减税和量化宽松政策的同时，呼吁老百姓炒股。当时白宫很紧张，害怕总统呼吁完股市不买账怎么办。结果3天以后的3月6日，股市开始爬升，一直到后来，居然涨了138%，创下历史新高。

但是，我们就不行了，我们的股市现在主要还是为企业，尤其是大国企服务，而不是让中小股民致富的地方。比如说，去年我们的铁道部改成了中国铁道总公司，粗略算下来有2.6万亿的负债。它们的第一个想法竟然是透过上市融资来解决负债问题！它根本就没有想过要先把自己打理好，把业绩做漂亮再上市。其实，如果说铁道总公司真的想要靠自己解决债务问题的

话并不难，比如说，把它开设的那么多旅馆酒店卖掉套现，这差不多就能还掉一半的债务；对高铁线路灵活调配，春运时多开一点，平时少开一点，不是也能节省成本？另外让货运价格市场化，等等。这些做起来很难吗？那它为什么不这么做呢？道理很简单，铁道总公司和其他国企一样，已经习惯于用去股市"圈钱"的方式来解决债务问题。所以说，中国股市不改变"圈钱"的本质，抽血效应就会抑制赚钱效应，即使不是"跌跌不休"，也是难有起色。

第二个，逐步放弃行政干预，让市场自己发挥作用。各位要看到，我们中国的股市有一个怪现象，就是一边股价"跌跌不休"得让很多股民都趴在地上了，但另一边却有无数企业挤破头皮要上市。这从另外一个角度证明了我们的股市不是为了藏富于民，而是为融资者圈钱的。那么，怎么从根本上解决这个问题呢？我觉得还是要透过发行审批制度的改革，逐步放弃政府对上市企业的管制和直接干预，让市场自己发挥作用去调节，最终达到供需平衡。说白了，就是要政府放权。政府需要做的，是制定企业上市的标准，然后去监督执行，而不是像现在这样打压。可能会有朋友说，股价现在已经很低了，如果这个时候放弃管制，会不会导致股价大跌呢？郎教授在这里告诉各位，那样的话，股市确实会跌得很难看的，但我们不是没有解决的办法，只要证监会在制定规则的时候，直接提高上市的门槛，让少数好的公司入市，问题不就解决了嘛。

这几年我们的股市"爱跌不爱涨"，当然有经济基本面越来越坏的原因，但关键还是政府的手伸得不是地方。比如，房价稍微下去一点点，就急忙推出大规模投资，这样房价很快走高，泡沫没挤掉，反而更多了。政府意识到房价上涨过快后，又出台"国五条"来挤压泡沫，结果一个"国五条"，又把股市搞垮了，因为 A 股市场的大盘股，全是金融、地产、钢铁、水泥这类上市公司，牵一发而动全身。所以说到底，还是我在前面讲过的，我们的管理层就喜欢管得很细，而不是让市场之手自由发挥作用。

第三个，做好退市。我们现在也搞退市，但是搞得不够到位。我们来看看美国是怎么做的。美国经常会有新股发行，但是美国退市的股票更多。股票市场其实就是个大水缸，新股发行就是灌水进去。有些人会担心水缸里的水如果多得漫出来怎么办，我告诉各位，如果退市机制健全，水是不会漫出来的。退市就像是在水缸的底下安一个水龙头。美国就是这样，打开水龙头，允许大量股票退市，就不怕新股的加入，对老百姓也不会有损害。就拿纳斯达克来说，该市场在 1985 年初有 4097 家上市公司，到 2008 年年底上市公司还剩下 2952 家，在这 23 年间共有 11820 家公司上市，12965 家公司退市，退市数量超过了上市数量。而在 1995 年至 2002 年的 8 年间，包括纽约所与纳斯达克在内的美国股市，更是创下 7000 多家上市公司退市的纪录。相比之下，我们中国股市退市机制就很不健全。2012 年之前，我们的股市建立了 21 年，只有 42 只股票退市。那我们股市这么多年里有多少只股票上市呢？2500 只。各位看看，我们的水缸早就盛不下这么多水了。水漫出来后的结果就是，股价下跌。

《上海证券交易所股票上市规则（2012 年修订)》增加退市指标如下：

1. 增加净资产指标。规定本所上市公司连续 3 个会计年度经审计的期末净

资产为负值的，其股票应终止上市。2. 增加营业收入指标。规定本所上市公司连续三个会计年度经审计的营业收入低于 1000 万元的，其殿票应终止上市。3. 增加审计意见类型指标。规定本所上市公司连续两个会计年度一的财务会计报告被会计师事务所出具否定意见，或者无法表示意见的，其股票应暂停上市。公司此后一个会计年度的财务会计报告被会计事务所出具否定意见、无法表示意见或者保留意见的，? 其股票应终止上市。4. 增加市场指标。规定本所上市公司通过所交易系统实现的股票成交量或者每日收盘价在连续期间内触及一定标准的，其股票应终止上市。5. 扩大适用未来在法定期限内如期披露年报的指标。规定本所上市公司因净利润、净资产、营业收入、审计意见类型触及规定的标准被暂停上市后，不能在法定期限内披露最近一个会计年度经审计的年度报告的，其股票应终止。市。

我发现，上交所和深交所对公司退市作了很多的规定，非常严格，也非常细。其实，根本没有必要搞那么复杂，越简单越好，就拿美国的纳斯达克来说吧，它的退市标准就两个，要么总市值小于 3500 万美元，要么股价连续 30 个交易日跌破 1 美元，非常简单，但又非常合理。

既然说到了退市，就不能不说对中小股民的补偿问题。先说中国的香港，香港有个洪良国际，曾经犯过欺诈，结果遭到了无情退市，结果在停牌两年之后，洪良国际宣布，要用 10.3 亿港元从股东手中把股票买回来，也就是说，它把从股市上融到的钱，全部又吐了出来。同样是退市，我们内地的老百姓就惨了。就拿我们 A 股的 * sT 创智来说吧，创智早在 2010 年就被法院认定破产了，但破产的原因不是经营不好，而是大股东侵占公司资金。

后来，现在的大股东大地集团承诺说，要给公司注入优质资产，进行重组。但是，这个承诺一直都没有得到兑现，然后走到了退市这一步。坦白讲，这是典型的大股东坑害小散户的做法，不管是在退市前还是退市后，根本没人在乎中小股民的意见，也没看到有谁站出来维护中小股民的利益。我非常奇怪，证监会怎么能让这种事发生呢？我们难道就不能学学香港的做法，公司如果退市，必须退还上市融资款，而不只是资产重组那么简单。

说了这么多，其实我的意思是说，我们的股市，还不是为融资者服务的"政策市"。我希望透过我的呼吁，证监会能把改革的着力点放在纠正导致股市供需失衡的制度，最终让市场的手去调整股价。当市场调整股价的时候，股市才能实现它藏富于民的基本功能。这样，股价也才会随着经济的好转，摆脱"爱跌不爱涨"的低迷。

第十一章　为什么高储蓄率转换
不成高消费

中国的储蓄率已达到 52%，高居全球第一位。这被普遍认为是导致国内消费动力不足的主要原因之一。特别是当前，中国要直面全球经济危机和调整经济结构的双重挑战，提振内需、扩大消费已经成为促进经济转型的重要手段。一些专家认为，应当努力提高居民的生活保障，逐步优化消费金融环境，从而让老百姓敢于消费、主动消费。利用提高消费拉动经济的设想没有错，但以释放老百姓的"高存款"为前提并不现实。中国的实际情况是，在 35. 35 万亿元居民存款余额中，90% 的老百姓只占有 25% 的存款，即大部分老百姓并非官方解读中的"有钱人"。面对这样的现实情况，我们还能够通过鼓励消费拉动经济吗？

一、老百姓没钱消费：储蓄分布不均，
9 成人口平均存款仅 7500 元

在这一章我想和各位谈一个非常有趣的话题。这个话题有大家最关心的股市，但是我们先不谈股市。我们先谈一个被大家误读的概念，就是所谓的高储蓄率。2012年6月的陆家嘴金融论坛上，证监会前主席郭树清说我们的储蓄率是52%。我自己也做了一下计算，没郭树清说的那么高，但也已经达到了48%。不管是52%，还是48%，我们的储蓄率都是非常高的。各位，一个国家的总储蓄额包含政府储蓄、企业储蓄和家庭储蓄。在我们国家，家庭储蓄占总储蓄的比例长期保持在40%左右；而且从1992年开始，中国家庭储蓄占GDP的比例也长期维持在20%左右的水平。各位晓得我们的家庭储蓄到底有多大规模吗？根据央行的统计，截至2011年底，金融机构里面的居民存款余额已经达到了35.35万亿元。

我想郭树清同志特别提出我们的高储蓄率，是为了引出一个话题，是什么呢？就是老百姓把钱都存起来了，没人消费，中国的经济就会一直萎靡不振。所以我们的很多专家就提建议，应该把社保体系建设好，把消费金融体系建设好，鼓励老百姓把钱花出去。应该这样做、应该那样做讲了一大堆，其实就是为了释放我们的居民存款。如果拿35.35万亿元的存款余额除以13亿人口，我们每个人大概有2.72万块的存款。如果是一个三口或者四口之家，就会有大概8万~11万块的存款。这么看来，这笔钱不算少。如果按照专家、学者的说法，把这些存款转化成消费，确实能够拉动中国经济。

一个国家的总储蓄额和.GDP之比，即是一国的储蓄率。根据国际货币基金组织（IblF）统计的全球储蓄率情况，全球平均储蓄率为19.7%‰

欧美等国的储蓄率平均在20%左右，而中国的储蓄率已超过50%，而且长期维持在这一水平。与同属东亚的其他国家和地区相比，中国的储蓄率也高得出奇。2011年，中国台湾地区的储蓄率为30.14%，中国香港特区为27%，韩国为32.42%。此外，其他四个金砖国家中，巴西的储蓄率是18.45%，俄罗斯是28.63%，印度是31.58%，南非是16.61%。纵观全球，储蓄率比中国还高的国家只有卡塔尔，达到54.27%。主要原因是，中东产油国的储蓄率普遍非常高。比如，沙特和科威特的储蓄率就高达43.04%和48.7%。这些国家储蓄率居高不下的原因只有一个——钱多得没地方花。那么中国储蓄率超过50%，也是因为国人很有钱吗？

但我要很遗憾地告诉各位，这个假设是漏洞百出的。撇开中国人因为社保体系不健全、投资渠道受限等原因，老百姓不敢花钱最主要的原因是，我们的老百姓平均每个人并没有那么多的存款。根据2012年央行金融研究所和西南财经大学一起编写的《中国家庭金融调查报告》显示，中国最富裕的10%的家庭拥有75%的储蓄存款。换句话说，就是90%的普通老百姓平分剩下的25%储蓄。我们就以35.35万亿元作为居民总存款来计算一下，结果是什么？占人口90%的普通老百姓，平均每个人的存款其实只有7500多块。也就是说，我们的主要消费群体，他们是既没有多少存款，又要操心吃饭、穿衣这些基本生活需要，还得担心看病、学费等等问题。至于我们经常提到的投资渠道不足，坦白地讲，很多老百姓根本考虑不到投资的事。在这样的现实情况之下，我们的专家、学者把如何促进消费说得再天花乱坠也没用。

2012年5月，由西南财经大学和中国人民银行总行金融研究所联合成立的中国家庭金融调查与研究中心，在北京发布了《中国家庭金融调查报告》。这份报告通过对全国8000多户家庭进行调查的方式，统计出中国55%的家庭没有或几乎没有储蓄，而收入最高的10%的家庭，储蓄金额占当年总储蓄的74.9%；收入最高的5%的家庭，储蓄金额占当年总储蓄的61.6%。体现出我国的家庭储蓄分布极为不均衡的现状。

那有人就说了，既然占大多数的老百姓没有余钱消费，那就让10%的那些有钱人消费，他们人均相当于有20多万块的存款。可是各位朋友，我请问你，这10%的人一天能吃几碗饭？一年能买几个LV包？买10个放家里就差不多了吧？然后呢，她再买一个爱马仕、巴宝莉什么的，放在一起。前两年不断有报道说，全世界有1/4以上的奢侈品都被中国人买走了。但是在2012年夏末的时候，巴宝莉、普拉达、路易·威登（LV）、蒂芙尼这些奢侈品店都发现来买奢侈品的中国人少了。为什么？道理很简单，就是这些包也好，鞋也好，不像一日三餐，天天都需要，而是只要买几个就可以了，谁也不会天天买。

二、美国养老金入市经验：通过投资增加居民财富，进而拉动消费

我觉得美国在这方面做得非常好。美国的储蓄率是12%的水平，比欧

美平均20%的比例低很多。但是各位注意，这并不是说美国人不存钱，他们只不过不像我们一样把钱存在银行里而已。那么美国人都把钱放到哪里存起来了呢？透过观察我们发现，他们很多都把钱放在了股市里。美国人从他们刚参加工作开始，每个人就开始为养老做准备了。2011年的时候，美国的养老金有17. 9万亿美金这么大的规模，是美国201 1年GDP总量的1. 19倍。这些养老金就是美国人的存款。我们做了一个研究，结果显示，美国个人退休账户在1981年的时候，里面差不多83%的钱都放在银行里储蓄；但是现在，只有10%的退休金存在银行里，大部分都投入股市里了。美国人为什么要这么做？因为美国银行的存款利率非常低，而股市的投资回报率既高又相对稳定，老百姓把钱投进股市，透过投资股票实现资产升值，然后有了钱再去消费。而我们呢，大部分都是把钱存在银行里，拿那么一点点利息。当通胀率高到超过利率的时候，还要承受存款缩水的风险。所以各位，不是把钱存在银行里才叫储蓄，我说美国才是真正的储蓄大国。

从美国的例子可以看出，30年前的美国人其实和今天的中国人差不多，把大部分钱放到银行里存起来。他们后来为什么把大部分钱又投到股市里了呢？我发现是美国政府引导的，它有目的地发布政策，让老百姓把钱从银行取出来，交给金融机构，或者直接投入股市。怎么做的呢？分三种方法。

第一种，公司和个人要在所得税之外，再缴纳社保税。这个税由联邦社会保障署负责，它把钱存进联邦社保信托基金里，为的是支持社保退休金、老人和残疾人医疗补助这两个福利项目。现在，美国的社保税余额有4. 5万亿美元。

第二种，美国有一个非常有名的养老保险制度，叫作401K计划。按照这个计划，公司和员工每个月都要按一定比例往401K计划的个人账户里打钱，这个钱在员工退休之前是不能领出来的。那钱放在账户里干什么用呢？公司会给它的员工提供三四个股票组合投资计划，这些员工可以自己选择一组，然后用账户里的钱作投资。等到这个员工退休之后，他可以选择一次性全部把钱取出来，也可以分期领取，或者转成存款等等。我要强调的一点是，这个401K计划不是强制性的，员工和企业可以选择不参与。美国政府为了吸引老百姓把钱存到401K计划里，然后去股市投资，公布了很多引导性政策，比如说公司和员工存进这个计划里的钱都不需要报税等等。目前，401K计划的规模有8.5万亿美金。

第三种，是一个叫作个人退休账户（IRAs）的可累积养老储蓄工具。它适用于什么人呢？那些没有被401K计划覆盖的人，他们可以透过加入个人退休账户存自己的养老金，但这个人必须委托符合条件的第三方金融机构管理账户。和401K计划一样，这个养老工具也是享受税收优惠的，目的就是让老百姓把钱放到金融机构投资。IRAs的规模目前是4.9万亿美金左右。

三、美国养老金与股市联动，产生相互促进的良性循环

美国就是透过上面这三种政策，积累起了17.9万亿美元的退休金，而

其中的 80% 都流入了股市。而且各位晓得吗？美国每一年都会有许多学生从学校毕业，加入到就业大军。这些人一就业，就会加入养老计划，把钱"存到"股市里。所以各位看，只要美国每年的就业人口增加，或者薪水增加，就会有越来越多的养老金入市。越来越多的投资流入股票市场，自然会推高股市，然后给投资者带来回报，这就形成了一个良性循环。

透过研究我们还发现，美国人的退休金余额和美国股指的相关性高达 90%。也就是说，退休金投入得越多，股指就涨得越高。我再给各位举个例子，从 1974 年美国国会颁布福特总统签署的《雇员退休收入保障法案》（ERISA）开始一直到 2011 年，美国股市平均年回报率是 12.1%。换句话说，如果你在 1974 年"存入"股市 1 美金的话，到 2011 年的时候，你可以拿回 68 美金左右。这绝对是个不得了的投资回报率。

回头再看看我们自己的股市，我们这个股票市场太可怕了。过去 10 年里，100 家上市公司里，竟然有 70 家不发红利。我们单拿 2010 年来说，40% 的上市公司都不发红利。再看美国股市，它的上市公司发红利的现象是非常普遍的。以 20 世纪 70 年代为例，上市公司净利润的 30%～40% 都会当成红利发给股东。现在的比例更高，最近几年可以达到 50%～70% 的水平。也就是说，即使你买的股票没有升值，但只要你持有它，只要这个公司宣布今年派发红利，那你就会有投资回报。比如说，如果你在 2008 年 10 月份买入 10 万美金的 IBM 股票，4 年之后的今天，你可以赚到 9450 美金。那如果你把这 10 万美金投给谷歌了呢？可以赚到 2.3 万美金。这些收益都来自美国上市公司给股东的红利。

很多朋友要说，郎教授你只说了美国养老金和美国股市一荣俱荣的例子，那如果美国股市大跌，养老金也会跟着缩水，这样的话美国老百姓的养老钱不就亏了吗？各位，美国股市确实在 2008 年金融危机的时候受到过剧烈冲击，股市市值"蒸发"掉了 7.3 万亿美金。但是在危机里，奥巴马推出了一系列政策拉抬美股，比如第三章里专门讨论的量化宽松政策，再比如减税等等。这些政策的结果是，美国在 2008 年 11 月到 2010 年 3 月实行第一轮量化宽松的过程里，标准普尔 500 指数累计上涨了 30%。

股市回升的过程里，奥巴马还做了一件了不起的事。2009 年 3 月 3 日的时候，奥巴马竟然呼吁美国老百姓买股票。你们晓得这需要多大的勇气、智慧和魄力吗？万一股价又下跌，他不仅会被老百姓骂死，还会影响自己的支持率。奥巴马为什么要这么做呢？我认为他是把"藏富于民"当作帮助老百姓，同时也是帮助美国整体经济复苏的重要决策了。所以他的执政方式就是透过推高美股，来增加老百姓的财富。老百姓有了充足的养老金，又对股市重拾信心，自然会继续把钱"存进"股市，这样危机前的良性循环就又接续上了。所以我们看到的是，美国人的储蓄率虽然低，但美国却是真正的储蓄大国。

四、中国能否复制美国养老基金入市模式

最近一两年，我们的很多官员、学者都提出要让中国的社保基金入市，

希望透过学习美国的养老金和股市的良性循环，拉高我们的股市，也为亏空的养老金账户赚点钱。坦白讲，这种想法也许是对的，但并不现实，为什么？因为首先我们的养老金制度本身就存在缺陷。

美国的养老金制度已经实行几十年了，每个人都是在年轻的时候就开始为养老进行投资。美国每年都有很多新人入职，这些新人都要交养老金，不断为养老金注入新的资金。而对于退休人员来讲，因为税收优惠政策的引导，一般都会选择分期领回退休金，所以不会造成养老金的大量流出。这样的设计类似于什么？就是我们常说的开源节流，所以美国养老金发展到现在，形成了一个庞大的规模，有17. 9万亿美元那么多。再看我们的养老金体系，虽然也说要从现收现付，转变成个人积累制，但现实情况是什么？就是"快进快出"，在职人员缴纳上来的养老保险金，马上就被拿去发给了退休人员。结果是什么？就是我们的社保基金有2. 2万亿元是没有资产支撑的。也就是说，我们想要学美国的养老金入市，可我们连本钱都没有。

2012年12月17日，中国社会科学院世界社保研究中，心发布《中国养老金发展报告2012》。报告显示，在31个省、市、自治区，加上新疆生产建设兵团，总共32个统筹单位中，养老基金如果剔除财政补贴，2010年有17个收不抵支，缺口达679亿元。2011年收不抵支的省份虽然减少到14个，但收支缺口却高于2010年，达到767亿元。2011年养老基金个人账户记账额达到2. 5万亿元，空账额达2. 2万亿元。

我们的养老金为什么老是入不敷出呢？1997年开始，我们的政府说要从现收现付，转变成个人积累制，也就是我们常说的现行基本养老保险制度。什么意思？我们每一个人的养老保险分两个部分，一个是社会统筹，一个是个人账户，当地政府可以拿当期在职人员的社会统筹部分，来支付退休人员的退休金。但是个人账户上的钱，必须挂在缴纳社保的人名下，也就是实现个人积累。这个计划真正运行起来，很快就走样了。我拿辽宁省为例，它在个人积累制实行 3 年之后，发现只用当期社会统筹部分缴纳上来的钱，已经不够支付退休人员的养老金了。怎么办呢？国家和地方财政分别为它承担了 75％ 和 25％ 的资金缺口。所以从 2001 －－2003 年，中央财政每年都要给辽宁补助 14.4 亿元。但是这个缺口到后来越来越大，连中央财政都背不动了。辽宁地方政府没办法，只能动用个人账户上的钱。到 2008 年的时候，它又说我们不能再拆东补西了，要想办法。想什么办法？它们开始把个体户、农民工、外国人等原本没有在它这里上养老保险的人，都纳入了养老体系里。为什么？就是要他们交钱上来，填补窟窿。这完全就是饮鸩止渴。为什么？各位想想看，被强行拉进社保体系的这些人，他们将在十几年，也可能是几年以后到退休年龄，他们到那时不仅不再缴纳养老保险，还会从社保基金里拿走养老金。到时，你怎么办呢？各位看到了吧，这就是我们的养老金制度，完全是人不敷出，哪还有钱投入到股市里？

　　这个危机怎么解决？之前有朋友说，我们的国有企业不是全体老百姓共有的吗？既然这样你们能不能帮老百姓一把？把你们的巨额利润拿出来，直接补贴到我们的养老金里。等到窟窿补上了，我们再把多余的钱投到股市里。

　　但是问题又来了。中国股市和美国股市完全不是同一水平。我在前面说

到，美国股市从 1974 年到 2011 年，每年回报率是 12. 01%。我请问你，我们的股市有这种回报吗？2012 年 11 月 21 日，新华网发出感慨，全世界股市连续四年下跌的只有泰国，而我们将会是下一个。各位，这绝不是危言耸听。从 2009 年 8 月开始，我们的股市基本上都在下跌。股市不景气的结果是什么？就是我们的养老保险也好，老百姓的个人投资也好，都不敢往这里面投。为什么？因为它给不了我们稳定的投资回报，没法成为推动养老金增值的重要支柱。所以从股市这方面看，我们也不适宜套用美国养老金入市的方法。

那么我们的 35. 35 万亿元居民存款还能往哪里投？买房子？人人都买得起房子吗？投资股市？我在前面说了，一投就亏。我们还能拿着钱做什么？坦白地讲，除了存在银行里，我也想不出更好的办法了。所以我们现在所谓的居民高储蓄率，完全是被逼的。

其实我一直在呼吁，我们的政府要正视老百姓的养老保险问题。我们不要只学到美国的皮毛，而要学习美国的灵魂。美国老百姓把他们一生的储蓄不是存在银行里，而是透过社保税、401K 计划，还有个人退休账户三种途径"存进"股票市场里面，投入了多少钱呢？一共 17. 9 万亿美元，足足是美国 2011 年 GDP 的 1. 19 倍。这个钱就是美国老百姓的存款，而且这个存款和股市形成了一个良性互动。养老金存得越多，股市越涨；股市越涨，养老金就越多。让美国人能够老有所终、老有所养，所以美国才是一个真正的储蓄大国。

最后，我给大家梳理一下本章的思路。我们发现，被媒体和政府渲染的高储蓄率其实根本不是那么回事。因为我们90%的家庭的储蓄率属于"被平均",而10%的富人家庭的高消费,这些年已经释放得差不多了。因此,依靠高储蓄率转化为高消费的想法,只能是一厢情愿的事情。美国的储蓄率虽然低得可怜,但是人家的钱都"存"在回报率稳定的股市里边,而且股市下跌的时候,政府又会出台政策托市。我们需要向美国学习的,说到底,还是想办法真正"藏富于民",那样才是真正意义上的储蓄大国。

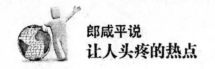
第十二章　黄金：几家欢乐几家愁

2013 年的"五一"假期，变成了名副其实的"黄金周"。4 月 12 日（周五），美林在美国纽约商品交易所抛出 400 吨黄金期货空单，当天国际金价暴跌 4%，并在 4 月 15 日（周一）出现最大跌幅 9%。此后，全球黄金价格一直萎靡不振。金价骤跌之时，全球机构都对黄金避而远之，而中国却上演了一轮疯狂的抄底抢金潮。"五一"假期期间，"中国大妈"在内地，甚至赴港抢购实物黄金，多家商场的金饰、银行的金条售罄脱销。媒体给抢购的具体数额做了估算，"中国大妈"10 天抢购了 300 吨黄金。而现实情况是，抄底购金的并非只有"中国大妈"，从孟买到上海，以至香港、曼谷、新加坡，整个亚洲正经历着数十年未见的黄金抢购潮。其中，金条、金币已出现区域性短缺。很多投资者不禁要问，此轮黄金价格暴跌，到底是不是抄底的好时机？

一、中国大妈 VS 华尔街大鳄，完全没有可比性

2013 年 4 月中旬的时候，很多朋友可以在内地、香港的黄金柜台看到一个奇观，就是柜台上的金条和金项链被我们的大妈们"一抢而空"。据媒体报道说，是因为 4 月 12 日，美林这家投资银行在纽约商品交易所的黄金期货市场抛出了 400 吨的黄金期货空单，导致全球金价一天就跌了 4%。这还不算最惨痛的。因为 4 月 12 日是星期五，在经过周末之后，全球金价在 4 月 15 日暴跌了 9．3%。这轮黄金价格暴跌之后，我们的很多"中国大妈"强势买入，用媒体的话说，她们"在 10 天内购进了 300 吨黄金"，相当于一天买进 30 吨黄金。紧接着国际金价虽然还是在跌，但在 5 月初出现了小幅回涨，有媒体在这个时候推出了一个惊人的标题，说"中国大妈战胜华尔街大鳄"！

各位，这种对比真的很荒谬，我跟各位分析一下。第一，"中国大妈"和"华尔街大鳄"根本不具有可比性，因为他们根本不在同一个战场上。华尔街的美林在 2013 年 4 月 12 日抛出的是黄金期货空单，是未来要交割的黄金合同。而我们的"中国大妈"买的是金条和首饰，都是实物黄金，和高盛、美林抛出的黄金期货完全是两个概念。第二，量级不一样。美林一天就能抛出 400 吨的黄金期货空单，"中国大妈"再怎么狂热，一天买入的也只有 30 吨。第三，专业性上也是天差地别。高盛、美林做黄金买卖，是要

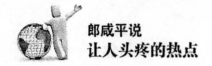
反复计算黄金价格的长短期走势，研究各种套利机制的。而我们的"中国大妈"买黄金，简直就跟超市特价促销时差不多，看见降价就出手，根本没有考虑它会不会保值。

"中国大妈"的疯狂购金行为，当然是受了华尔街投行的影响，那引发这轮金价暴跌的元凶——美林这样的华尔街大鳄，又是因为什么要狂抛期货黄金的呢？我看到一种说法，说是 4 月 10 日的时候，欧盟委员会发布了一份关于塞浦路斯的评估报告，这里面说塞浦路斯将抛售价值总计 4 亿欧元的黄金储备——相当于 10 吨黄金——用来筹钱援助它已经岌岌可危的银行业。这个说法很搞笑。各位想想看，美林一天就能抛出 400 吨的黄金期货空单，我们的"中国大妈"一天就买光 30 吨黄金。那塞浦路斯抛售 10 吨黄金这件事，在全球黄金市场上能算得上什么呢？

各位是不是也很好奇，美林为什么突然抛出了 400 吨的黄金期货空单？事情的起因挺有意思的，早在 4 月 9 日的时候，高盛、美林等几个华尔街大鳄都收到了一份来自美联储的邮件，里面是关于美联储在 3 月 20 日开的议息会议的会议纪要。这份会议纪要原定的公布时间是美国时间的 4 月 10 日。也就是说，高盛、美林这些美国投行提前一天拿到了会议纪要。对此美联储的解释是"人为失误所导致"。那这份"乌龙邮件"里都写了什么呢？这里面说，"美联储在 3 月 20 日召开的会议上讨论认为，量化宽松货币政策（QE）的必要性在减弱，可能将在 2013 年年内结束"。这意味着什么？道理很简单，就是 QE 一旦动摇，美元就可能升值，而黄金价格就要跌了。各位，高盛、美林这些华尔街大鳄比我聪明多了，就连我都能透过美联储的邮件推断黄金价格下跌，那它们怎么可能不晓得？于是，华尔街大鳄们立刻行动，纷纷做空黄金期货。

其实在 4 月 12 日全球金价暴跌之前，高盛在 4 月 10 日就下调了对黄金价格的预期，而且它还向客户发出金价短期要下跌的消息。那么就是在高盛发布"看跌短信"的背景之下，4 月 12 日，纽约商品交易所的黄金期货市场里，一天就抛出了 400 吨黄金期货。事后摩根大通、高盛等等这几个大投行相互一碰头，发现抛出这么多黄金期货空单的很可能是美林的交易部。坦白地讲，这件事会给市场，甚至包括我这种旁观者留下非常多的遐想空间。我想美国的有关机构应该会对这件事展开调查，但是结果如何，我不好做预测。为什么？各位晓得美国金融圈里最厉害的"帮派"是哪个吗？就是"高盛帮"。每次美国政府的新内阁只要选财长，肯定有高盛的人进入候选名单，最后当选的人即使不是从高盛出来的，也是和华尔街有密切关系的。2007 年，当时的美国财政部部长鲁宾在卸任之后，就是去花旗集团做了董事长。基本可以这么说，美国的华尔街直通美国政府财政部后门。

所以绝对不要小看华尔街的力量，4 月 9 日的"乌龙邮件"是不是美国政府内部的"高盛帮"做的"人为失误"，美国政府还没有做出声明，我也不能做什么评论。但是我们的媒体把"中国大妈"和华尔街大鳄们摆在一起比较，而且还判定是大妈们赢了，这种说法真的很欠考虑。我们再一次自我感觉过于良好了。事实证明，这次所谓的"中国大妈战胜华尔街大鳄"让中国大妈赚足了面子，但华尔街却赚足了里子。

透过这次的"中国大妈"引发抢金热潮事件，各位有没有想过一个问

题，就是实物黄金在中国为什么这么受追捧？各位想想看，如果这次降价的不是黄金，而是爱马仕、普拉达的皮包，我想它就是降到1折，我们的"中国大妈"恐怕也不会这么疯狂地去抢购吧。先不说这些实物黄金是不是真的能保值，但最起码，"中国大妈"之所以疯狂抢购，大部分还是有这种心理预期的。那么，这些抢购的黄金是不是真的能保值呢？我给各位提供过去10年里的几种投资品的回报率：黄金涨幅达到330%，涨了3.3倍；同一时间里，美国股市的涨幅是90%，中国股市就比较差了，涨了65%。当然，涨幅最好的还是我们的房价，据媒体报道，以北京的楼市为例，在过去10年里，它的涨幅是1000%，也就是10倍，远远超过黄金。透过以上对比，我们发现黄金3.3倍的增长率已经算是比较好的了。不过各位，过去10年还不是金价涨得最快的时候，黄金价格在1971年10月份到1980年1月份这段时间，涨了1900%，也就是19倍，秒杀了同期所有投资品种，包括现在的北京房地产。所以，我们的"中国大妈"为黄金如此疯狂，也不是没有道理的。

二、黄金价格涨跌规律：与美元有70%的负相关关系

其实，黄金和美元之间的涨跌是有规律可寻的，就是黄金价格涨的时候，美股就涨势缓慢；黄金价格跌的时候，美股就涨势喜人。也就是说，黄金价格和美股的走势至少不是正相关关系。除此之外，我又做了一个黄金价

格和美元汇率的走势对比分析，结论就是这两者的走势有 70% 的可能是相反的。换句话说，黄金价格和美元汇率之间是 70% 的负相关关系。打个比方，如果美元汇率跌 10% 的话，大概有 70% 的机会，黄金价格会涨 10%。所以我们就看到过去 10 年里，美元汇率在跌，而黄金价格在涨。在华尔街大鳄们 4 月 9 日收到的那封"乌龙邮件"里，美联储说有可能在 2013 年内退出量化宽松，这就意味着美国不再搞低息、不再乱印美金了，那么美元汇率势必走高，就是因为这个原因，各大投行纷纷开始做空黄金了。

能看出黄金价格走势的还有一个参照物，就是国际原油价格的走势。因为国际黄金是用美元标价的，原油也一样。所以一般情况下，黄金价格跟原油价格是正相关的。各位还可以从另一个纬度看，一般情况下，原油价格持续上涨，就会导致全球通胀水平上升。而黄金本身具有抵御通胀的功能. 在这个时候. 投资者就会选择大量买入黄金，抬高黄金价格。

当然，对金价起到关键影响作用的还是美元汇率。那么美元汇率的走势我们又要靠什么来判断呢？各位应该都晓得，一个国家的货币是否坚挺，跟本国经济形势是一致的。一个国家如果经济走强的话，它的本币汇率就会跟着走高。也就是说，只要美国经济走强，美元汇率就会上涨，同一时期的黄金价格就可能出现下跌。不晓得各位有没有看过《逃离德黑兰》这个电影。它交代了一个时间段，就是 20 世纪 70 年代美苏争雄时期。那个时候，虽然美国自封"世界第一"，但是它受到了强大的挑战，苏联在和美国的竞争中占了上风。市场就觉得美国经济可能要放缓，然后出现了 1971—1980 年 10 年间黄金价格暴涨 19 倍的情况。后来美国在 1980 年换上里根当总统，美国

的经济实力逐渐增强，而苏联在 1991 年解体，美国一国独大。然后到了 1992 年，克林顿当上美国总统，在克林顿当美国总统的 8 年里，美国经济也特别好，增长得非常快。所以说从 1980 年到 2000 年这 20 年里，美国的经济是一个劲儿往上走，而黄金价格就是一个劲儿地往下走，跌了 70%。那到了 2001 年，黄金价格再次上涨，为什么？因为这一年发生了"9·11"事件。而且同一时期，欧盟在 1999 年推出欧元，以"金砖四国"为首的新兴经济体也发展起来了。这些内外因素让各方都对美国经济不看好，所以美元汇率走低，金价上涨。

哪个时期出现了黄金历史最高价？很多人认为是 2011 年 8 月 23 日，出现在纽约商品交易所黄金期货市场的 1910 美金/盎司。这个认知是错误的。事实上，黄金到目前为止的最高价是 1980 年出现的 850 美金/盎司。为什么？因为按照过去 33 年的美国通货膨胀率计算，20 世纪 80 年代的 850 美元，相当于现在的 2400 美元左右，所以这才是实际上的黄金历史收盘最高价。

所以说，那些已经被黄金套牢，或者想着要抄底的朋友，应该开始关注美元未来 10 年的走势了。对于这些朋友来讲，其实是有一个好消息的，因为各种数据显示，从 2012 年开始，美国经济已经领先全世界回暖了，它的制造业已经复苏了。按照我们前面的分析，只要美元涨，黄金就要跌。当然，我的这个推导理论在 70% 的情况下是可用的，那剩下 30% 是什么情况呢？目前看来，就是两者齐头并进。举个例子，2008 年年底，也就是全球经济危机刚刚深化的时候，美元汇率和金价就是一起上涨的。然后从 2009

年年底希腊债务危机首次爆发再到 2010 年上半年，金价也冲到了 1260 美元
/盎司的高位，同一时间，美元也一起上涨。什么时候会出现这种情况？千
万记住我的话，碰到危机就是同涨同跌。

三、巴菲特的投资理念：绝不买黄金，为什么？

这么看起来，投资黄金其实是一个挺复杂的决策，那我再给各位推荐一
个人的判断理念，那就是巴菲特的。他最近对黄金发表了很多观点，说
"就算跌到 800 美金/盎司我也不买"。巴菲特为什么这么说？我们先做个换
算，据估计，全世界的黄金大概有 17 万吨，可以做成一个 21 立方米的金
块。如果用每盎司 1750 美金做计算，那这个立方体的金块可以换算成 9．6
万亿美金。那巴菲特是怎么说的？他曾经在致股东信里说，这个 9．6 万亿
美金可以买全美国所有的农地，再加上 16 个埃克森美孚；然后呢，你还会
剩下 1 万亿美金，可以做周转资金。按照巴菲特的说法，美国的农地也好，
16 个埃克森美孚也好，它们是可以在短期内创造回报的，而且可以创造一
个永续经营的回报。就是说，只要你肯种地，你肯工作，而且公司开门营
业，那它就可以不断创造价值，所投入的资金就会不断得到回报。黄金可不
可以呢？黄金在过去几十年里，既有创造 19 倍高回报的时候，也有一赔输
掉 7 成成本的时候，所以对于巴菲特来讲，投资黄金的风险比较大，且回报
率又不怎么高，所以不值得购买。相反，巴菲特认为最可靠的投资还是买股

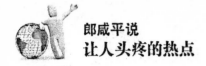

票，比如说他看中的可口可乐、通用电气等，这些公司的股票确实可以创造一个永续经营的回报。

巴菲特一直质疑黄金的另一个原因是，如果你手里拿着黄金，到最后你想用它换东西的话，只能先把黄金换成货币，你不能拿着金条去买衣服、买食品吧？就这一点来讲，也是有风险的。我给各位举个例子，20世纪70年代，有很多越南人去了美国，他们去的时候带了很多黄金想要在那边卖掉，但是根本没人买。为什么？因为那个时候美国没有一个地方是能够让你来交易黄金的。我们现在还可以从很多资料图片、纪录片上看到，那个时期的越南人在美国大街上摆摊卖金条。

巴菲特还有一个特别有意思的言论，他对于这个21立方米的金块做出了这样的评价：他说这个金块唯一能做的事情，就是当你闲来无事的时候，去爱抚这个金块。另外，巴菲特还提出过一个问题："你为什么会买黄金呢？"用他的话说，就是"博傻"，赌博加傻瓜。也就是你在买黄金的时候，认为还会有一个比你更傻的人，将来会出更高的价格向你买这种回报不稳定的投资。这就好比是"击鼓传花"，传到谁那，谁倒霉。而当这枝花传到2013年4月15日，就有人倒霉了，国际金价一天就跌了9.3%。

如果各位看完我以上的分析，还是想投资黄金的话，那我就再给出一个建议，其实我在2009年的时候也曾经说过，如果你实在想买黄金的话，不妨买100美元的黄金，再收好100美元，用美元和黄金做对冲。关于对冲，过去一直也有很多人问我，他该不该买进美元，这个问题本身就是错的。如果你要买进货币，一定要买两种货币，来回倒腾才能赚到钱。比如说前几年，你如果只买进了美元，它涨你跟着它涨，它跌你也跟着它跌，根本无法避险。但是你如果是两种货币一起买，或者是黄金和美元一起买，风险就可以避掉了。一般情况下，有两种比较好的组合，一个是黄金和美元，因为它们走势相反，所以可以避险。另外一个是欧元和美元，因为通常是美元涨，欧元就跌。

还有一个不得不说的问题，对于"中国大妈"抢购黄金事件，我们不能断定说这就是华尔街投行的阴谋，但这背后的策划者肯定有投行的影子。我们很多人一直喜欢从投行发出的报告中寻找投资的机会，这基本是不靠谱的。各位想想看，投行一般是怎么挣钱的？我们透过一个例子看一下，花旗银行在2011年的时候说，2012年的时候黄金价格会涨到2300美金/盎司，2013年会涨到3400美金/盎司。高盛在2012年3月份的时候说，黄金价格差不多可以涨到1840美金/盎司。是不是有朋友听了花旗和高盛的话，也觉得黄金好像非常有投资价值，是不是也有朋友进行了投资？还有，这次黄金暴跌的"始作俑者"美林在2013年4月12日狂抛黄金期货空单之前，还在信誓旦旦地说"看好未来两年的黄金市场，理由是美联储将QE3与就业目标捆绑"。结果就把我们的"中国大妈"套牢了。

看到投行的基本套路了吗？这些投行在打算自己抛售前，会先透过各种渠道放出消息，看好将要抛售的投资产品，目的是为了给自己找买家、找下家，等市场开始跟进的时候，再果断抛出。当然，投行很聪明，不会每次都用这样的手段。如果总这样，我们只要反向操作就好了。实际情况是，投行会不定期地给出正确的预报，就拿这次抢购黄金事件来讲吧，高盛在4月

10 日紧急给它的客户发了提示短信，极度看空黄金，号召做空黄金。所以投行是把真真假假的消息混在一起的，让你完全猜不透它们下一步要干什么。

我在《我们的生活为什么这么无奈》一书里就分析过这个问题，老百姓把钱存在银行里，跑不过通胀；把钱放股市里，基本都被套牢；把钱投入房地产，当然是最好的，但现在的房价高得离谱，有多少普通老百姓能做得起这样的投资呢？为了看得起病、上得起学、买得起房、养得起老，老百姓希望能把手里那点钱拿去做点投资，最起码能够抗通胀、实现保值。但就是这么一点希望，怎么也那么难以实现呢？

"中国大妈"疯狂抢购黄金事件，一方面当然是中国大妈对信息的误判，但这背后暴露出我们现在投资渠道的极度短缺，管理者不应该深刻反省一下吗？

第四篇　让人头疼的"世界工厂"

第十三章　政府先转型，是制造业
转型的关键

中国和美国，一个是亟须制造业转型，一个是亟须制造业回归，总之都是要振兴制造业。但结果是中国的制造业还在转型路上苦苦挣扎，没什么实质进展；而美国呢，它已经把苹果、陶氏化学等顶尖企业召回本土，实现重塑制造业，并且带动了经济和就业的逐步复苏。结果大相径庭，但其实两国政府为了振兴制造产业都没少出政策、给支持。为什么成功的是美国，而不是我们？

一、中国制造业的传统竞争优势在逐渐消失

2012 年 12 月 6 日，苹果的 CEO 库克说要在美国投资 1 亿美元，建一家组装 Mac 电脑的工厂。我当时立刻在微博上作了回应，我叫这个现象为"一叶知秋"，什么意思？坦白讲，我很担心苹果回迁美国的举动，会产生多米诺骨牌效应，带动更多的企业把工厂搬回美国。有些网友给我留言，觉得我是小题大做了，说苹果只不过是投资 1 亿美元建一个组装厂而已；而且还很有可能是奥巴马对苹果施压，苹果公司才不得不做个样子，象征性地回美国建个组装厂。总而言之，中国"制造业大国"的美誉不会受到丝毫影响。

首先，各位能够提出自己的观点和我交流，这一点我非常欢迎，但是我要提醒这些朋友，我们很多时候都是感觉过于良好了，和日本等国家比，我们一向缺乏危机意识。为什么这么说？如果现在只有苹果一家打算把工厂搬回美国，我不会觉得这有什么了不起，但问题是，美国公司重回本土建工厂已经形成了一个可怕的潮流，而这些公司大多数是撤掉在中国的工厂然后回的美国。我们收集到的资料显示，除了苹果，美国的陶氏化学、惠而浦、福特、谷歌、通用电气等公司已经决定把工厂迁回美国，就连富士康也跟着惠普到美国开合资工厂去了。我再给各位提供一个数据，根据美国波士顿咨询公司发表的报告，总部设在美国的制造企业高管有超过三分之一的人计划将生产环节从中国转回美国，而且这些公司的年销售额都在 10 亿美元以上。另外，根据我们的观察，除了把工厂迁回美国，像阿迪达斯这样的劳动密集型企业，它是把工厂从中国撤出，然后搬到越南、墨西哥去。

为什么这么多美国企业选择把工厂搬离中国？因为我们过去拥有的发展制造业的传统优势正在逐渐消失。这是因为第一，我们的用工成本不断上涨。中国在过去 30 年里，之所以能够成为"世界工厂"，主要是靠低廉的人工成本和环境成本，吸引欧美企业来我们这里投资建厂。但是从 2008 年开始，中国制造业的用工成本开始迅猛上升。我再给各位提供一组数据，根据《华尔街日报》的报道，2008 年以来，"中国大陆制造业的平均工资水平已累计上升 71%"。我给各位举个例子，从 2010 年起，富士康连续涨了好几次工人的基本工资，工人每月的基本工资从 2010 年 6 月以前的每月 900 元，增长到了 2012 年 5 月的 2200 元。而且富士康的总裁郭台铭还说，到 2013 年 8 月，富士康工人的工资大概要涨到每月 4400 元，很可能超过台湾岛内工人的基本工资水平。

另外，在这 5 年多时间里，来华投资建厂的外国老板还要考虑人民币的升值问题。为什么？因为你赚的是美元，但是给工人付的工资是按人民币结算的，一旦人民币兑换美元汇率上升，就意味着工人即使还保持原来的工资水平，但你要付出更多的美元去兑换等量人民币，这其实相当于工资开支上升。那我们的人民币币值上升了多少呢？告诉各位，从 2008 年至今，如果按照实际贸易加权汇率计算，人民币的同期升值幅度达到了 25.9%。

各位看懂了吧，总结起来就是，我们的用工成本在工资上涨、人民币升

值的压力之下，已经不再是"廉价"的了。与此同时，越南、墨西哥等国家，它们在生产成本上比我们更有优势。就拿越南来说吧，越南工人的每月工资只相当于500元人民币左右。所以我们看到的就是，阿迪达斯把中国工厂关闭，然后再到越南、墨西哥去开新工厂。

有些朋友可能要反驳我说，就算我们工人的工资上涨了，那也跟美国的工人差很多啊。我告诉各位，我们没有分析过一个趋势，就是当中国工人闹着涨工资的时候，美国工人却在降低工资要求。我举个例子和各位说明，美国的通用电气把工厂迁回美国进行生产，它在2011年的时候放出消息说要增加450个新的就业岗位，然后它在不到1个小时的时间里就收到了6000份简历。工作岗位这么供不应求的结果是什么？就是一向强悍的美国工会竟然肯在关键的工资问题上作出妥协，结果是通用电气答应提供更多工作岗位，工会则同意接受比过去更低的工人起薪。2012年春天，通用电气在美国肯塔基州建立新工厂的时候，首批计划招聘1000个工人，结果收到了1.6万份简历，最终它给出的工人起薪是每小时13美元，各位晓得以前通用开出的最高工资是多少吗？每小时80美元。

我再给各位看一组很残酷的数据，从2005年到2010年，中国制造业工人的小时工资增长了约150%，而美国仅增长15%。两者之间的比值从41：1缩小到19：1。按照这个增长速度，那么到2015年，中美两国工人工资比会进一步缩小到9：1。而且，两国工人的劳动生产率还不一样，在同样的时间内，美国工人的产量远远高于中国工人，生产出来的产品质量也更高，卖的价格自然更贵些。如果把这些进行综合考虑的话，到2015年美中制造业工人的实际工资成本将会下降到2. 43：1。

还有一点让人很担心，对于国内工人工资的不断上涨，很多企业一边寻找更为有利的环境，一边加快了自动化的步伐。比如富士康，在看到国内工人不断要求涨工资之后，它不但以"接近惠普等客户企业"为由，到美国开工厂，还宣布在2014年用100万台机器人代替不断闹事、要求涨工资的工人。而且据我所知，到2012年年底，富士康在山西晋城建立的机器人基地已经造出了2万台机器人。

第二，我们的营商成本在不断加重。我要提醒各位，比我们不断高企的用工成本更可怕的是不断上涨的营商成本，比如税费、工业占地等。我在这里向各位提供一组数据，美国因为页岩气的大量开发，它的天然气价格只有中国的七分之一，工业用电价格是中国的二分之一；由于物流成本和能源价格相关，所以美国的物流成本只是中国的三分之二。我们再来看融资成本，中国中小企业的融资成本占总成本的20%，美国的是10%以下；中国大型企业的是6. 5%，美国的是2%左右。再看土地成本，中国工业用地全国平均水平是102美元/平方米，美国的中西部地区是13美元/平方米，即使是旧金山也只有46美元/平方米，那么我们地价最高的上海和深圳的工业用地价格是多少呢？达到了200美元/平方米。

另外，我们的地方政府还有令人吃惊的8921部地方行政法规，这些法规让各地方政府随时可以根据当地的财政需要，多给企业增加几项地方税或者费用。我说这是"地方政府不守法成本"，它大大地增加了企业的营商成本。就是这样的营商环境，也难怪这么多的美国企业，还有其他国家和地区

的企业会纷纷选择撤出中国。

第三，由官僚体制衍化出的隐性成本。2011 年，中国美国商会对会员进行了一项调查，结果显示，在华美国企业反映出的首要运营挑战竟然是官僚主义。为什么这样讲，是因为当这些企业在中国的一线城市站稳脚跟之后，向二三线城市发展的时候，它们发现这些地方政府普遍都有自由裁量权这个问题。什么叫自由裁量权？我给各位解释一下，我们目前制定法律、法规的一般情况是，政府出一个"纲"，地方政府再根据自己的情况制定详细细则。这就造成了什么？地方政府在决策、执行和监管环节上被赋予了非常多额外的权力，这就导致地方政府官员有了更多的权力寻租空间。另外，因为各地方的情况各不相同，同一个政策在不同地区执行，肯定会有差异，这也非常容易给企业增添麻烦。我给各位举个例子，上海浦东新区在行政审批制度里，把车船许可证的审批给取消了，但是周边省市却没有这个规定。结果船只从上海出发，到了江苏的苏州，因为你没有这个许可证，按照江苏的政策，那就必须接受罚款。

还有一点，就是我们的审批流程，环节太多，情况太复杂了。我在调研的时候，听一个市的领导说："一个项目从签约到开工，要走20 多个流程，办30 多个手续，一般需要一年到一年半的时间，有些需报省审批的甚至需要两三年时间。"而且告诉各位，根据我的亲身调研，这个现象在我们全国都是普遍存在的。我就不晓得有多少企业能经得住这么繁琐的流程，等得起这么长的时间，因为市场是瞬息万变的，有时候错过了最好的时机，跟延误战机是一样的。等把政府要求的各项手续都拿下来，你会发现，也许这个项目就没有必要做了。

综合上面的这些原因，就导致了现在这样一个趋势：中国制造业的竞争优势逐渐消失，大批欧美制造企业或者回流本土，或者迁去越南、墨西哥。

二、政府先转型，制造业才有可能转型成功

当然，用工成本的上涨是一个不可逆转的趋势，大部分营商成本的上涨也是经济发展的必然结果。那么，我们接下来该如何做呢？我认为可以分两个层面：第一个层面，我们的企业要从传统制造这个狭隘的领域中跳出来，在全产业链上发展。什么意思？就是要把我们的重心转移到产品研发、原料采购、仓储运输、订单处理、批发以及零售这六大非制造环节上，因为从产品研发到终端零售的这六大环节才能产生高附加值。

第二个层面，我认为也是目前当务之急的方面，就是我们的政府实现由主导型到服务型的转变。为什么？因为我们的政府对市场管得太多，很多时候成了阻碍企业产业升级、转型的障碍。换句话说，政府必须先实现转型，我们的制造业才有可能转型成功。为什么这么说？我在下面和各位好好分析一下。

首先，我们必须承认政府在过去管得太多了。除了我们像"长征"一样的项目审批流程，还有就是我们的政府特别喜欢主导产业升级。各位晓得一个国家或者地区要实现产业升级最主要的参考因素是什么吗？是当地此时

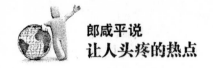
的资源禀赋和比较优势。我给各位举个例子，硅谷为什么能在过去几十年里成为全世界高科技产业的圣地？其中一个很重要的因素就是它周边有斯坦福大学和加州大学伯克利分校。也就是说，高科技人才就是硅谷的资源禀赋和比较优势，所以英特尔、惠普等大公司可以在这里诞生。

回头再看看我们，我发现我们的思维和别人的都不太一样。我给各位举个煤电进行产业升级的例子。2005年的时候，浙江省政府发布新闻说3年后浙江将不再产煤，也就是说，浙江省以后要想用煤都要靠从省外买。但是2006年11月发生了什么事？全国第一个超超临界燃煤机组，即实现煤电产业升级项目，在浙江台州的华能玉环电厂正式投入运行。我就想请问我们的国企华能，为什么要在一个计划不再产煤的省份上马超超临界机组？浙江台州根本没有煤炭这个资源禀赋，和其他地方比也谈不上有什么比较优势。有的朋友要说台州有港口，运煤很方便。那我请问你，直接在内蒙古的露天矿附近建电厂不是更划算？露天矿的煤层浅，不用挖很深就能出煤，而且还省运费。我们可以从另外一个角度想想看，如果建超超临界机组的决定权完全归属于一个民营企业家，那他会选择在台州建，还是会选择在内蒙古建呢？

我再给各位举个发电产业中产业转型的例子。2009年的时候，我们的政府提出了《新能源产业振兴和发展规划》，这里面风电是我们重点扶持对象之一，享受电价优惠、税收优惠、贴息贷款等扶持政策。我们国家的风能资源总储量大概有32亿千瓦，世界排名第三，仅次于俄罗斯和美国。称得上具有资源禀赋，而且也应该算是比较优势之一。

超超临界燃煤机组所代表的发电技术，是目前国际上具有代表性的洁净煤发电新技术，具有效率高、可靠性高、技术成熟、实现国产化生产较快等优势一也就是说，使用超超临界技术，可以提高供电耗煤效率，燃烧等量煤可以产出更多的电能，实现煤电领域的产业升级。华能玉：环电厂是国家"863"计划中引进超超临界机组技术，逐步实一现国产化昀，依托工程，为国家重点工程。

但是在具有先天优势的情况下，各位晓得我们的风电行业目前是一个什么情况吗？就是风机的低端、低质部件产能严重过剩，以及风机建成但没法和电网实现正常连接。为什么会出现这些情况？我跟各位分析一下，第一，我们的地方政府在"政绩工程"的诱惑下，也不管市场的供需关系，审批通过了大批风电项目，造成供过于求和滥竽充数的问题。第二，我们的企业一看政府出台这么多扶持政策，就一窝蜂涌去做风电设备。很多人以前甚至没接触过风电行业，以为靠政府的扶持，只要是和风电沾边的产品生产出来就会有人买，导致低端风机部件严重产能过剩。第三，电网利益受到侵占，进行"合理反抗"。我们的政府曾出台政策说要电网全部接纳风机发出的电，而且"上网电价按'发电成本＋还本付息＋合理利润'的原则确定"，也就是保证只要风机发电，就能赚到钱；另外，政府还规定"高于电网平均电价的部分采取全网共同承担的政策"，也就是说，电网如果按政府要求的电价接纳进风电导致自己赔钱，那你就自认倒霉吧。在这种情况下，我们的国有电网是怎么做的呢？它们因为"目前的电网水平有限，没法接进来这么多风电"，最后导致我们的风机发出来的电没法全部被电网收购，甚至接不上电网，只能空转、晒太阳。

我们的风电市场现在是一团糟。透过以上分析我们发现，根本原因在于我们的产业扶持政策，或者说我们的政府管得太多了，而且根本不按市场供需规律出牌，还抢了既得利益者的蛋糕，原本可以靠市场机制慢慢磨合的风电场和电网利益关系，现在也被逼到了死角。

那各位晓得美国政府是怎么扶持风电发展的吗？第一，2004 年以后，它主要是靠生产税返还政策，也就是透过减税的方式进行扶持。第二，因为美国政府的预算决策和执行力度都是非常强的，不可能轻易透过政府直接注资的形式扶持风电企业，它怎么做呢？直接从源头投入，投资给电力设施的研究项目。比如 2009 年 2 月，美国国会就决定投资 110 亿美元用来做智能电网的研究和建设，为的是接纳大规模风电上网。同时，由于政府没法直接资助风电企业这个原因，美国的风电投资严重依赖私人投资。第三，美国在发展新兴能源的同时，也没有使劲打压原来的化石能源，风电还是和传统的石油、天然气在市场上进行公平竞争，这就导致私人资本在决定是否投资美国风电时保持了审慎态度。目前，美国的海上风电发展缓慢，但人家的问题是投资商根据市场实际情况，采取谨慎投资造成的。和我们钱都投进去，风机利用率低、风电没法上网的困境完全不是一回事。

另外，我们的地方政府对"产业升级、转型"本身也存在理解错误。我在各地做调研的时候，经常听到说哪个地方又引进了一条"世界先进的"生产线，然后马上就说自己实现产业升级了。各位，什么是产业升级？不是说你引进一条美国、欧洲最新的生产线，你的产业就实现更新换代了。我所理解的产业升级是说，我们的企业在发现过去的比较优势，也就是意识到廉价劳动力不复存在的时候，自动自发地在外部市场甄别出一个既是自己现有的比较优势能承接的、又是在未来能有大发展的产业，然后在它还处在萌芽期的时候就把它引进来，并且培育壮大。各位，这才叫实现产业转型，或者产业升级。

说了这么多，我的意思其实就是，过去我们的政府对实体经济的干预过多，而且插手干预的水平还非常有限。我经常用一句话"市场的归市场，社会的归社会，政府的归政府"来建议中国的改革思路，这句话同样适用于给我们的制造业找出路。特别是在政府这方面，所以我说我们的政府必须实现转型，从主导型转换成服务型。我还要补充一句，产业升级和企业转型的主体永远是企业，而不是政府。

三、政府应该是"长期服务的保姆"，而不是"助产士"

其实，最近几年很多人都在谈论这个话题。我在这里想特别说一下林毅夫先生提出的"新结构经济学"，因为他在里面对政府在产业转型中应起的作用有一段非常有意思的描述，就是"政府要因势利导，充当新兴产业的助产士，而不是一个长期在职的保姆"。把这句话翻译成白话就是，"政府把项目扶上马之后就该撒手不管"。对于林毅夫先生的观点，我并不十分认同。首先，我们的地方政府能不能做到及时收手，不参与项目的后续发展这个很难说。毕竟在目前权力可以变现的情况下，让我们的官员交出手里的职

权是件挺困难的事。其次，鉴于我们的政府在过去非常糟糕的产业指导经验，所以我认为政府的扶持不应该在产业发展的甄选决策上参与过多，而应该是给企业提供一个能够孵化出新产业的营商环境。由企业对各方面因素做衡量后。决定是否进入政府扶持的产业。换句话说，政府的角色应该是一个"长期服务的保姆，而不是出生时非常关键的助产士"。

我就以美国为例，给各位介绍一下什么叫"长期服务的保姆"，或者叫服务型政府。2009年奥巴马刚刚就任美国总统，就提出要靠重塑制造业来挽救美国衰退的经济。奥巴马先密集地发布重振制造业的各种扶持和引导政策，主要引导企业往"在未来具有高增长率的产业"发展。这里面最重要的法案是《美国清洁能源与安全法案》，从这一点我们就能看出美国政府其实和我们的政府一样，都希望把企业的产业升级、转型的方向瞄准新型能源。可是奥巴马政府是怎么做的？它在发布的《美国创新战略》里。非常清晰地把创新分成了三个层次：最底层是政府加大对美国创新基础，比如教育、研发等方面的投入；中间一层是让现有大企业之间透过竞争。不断地创新；最高的一个层次就是全社会加速在生物、纳米这些面向未来的大项目上的突破。在这里面，美国政府只提供有利于创新发展的营商环境，是否进入的决定权还是在美国企业手里。

我再给各位举几个例子。2011年白宫公布了非常有名的《美国创新战略：确保我们的经济增长和繁荣》，奥巴马政府在这个创新战略里呼吁，要永久简化企业的研发税收，特别是对中小企业减税。美国政府还在2011年推出了《美国发明法案》、《保护"先进制造业伙伴"计划》、"创业美国"

计划等政策，用来引导和保护中小企业还有个人创业者的创新。另外，美国小企业局还拿出 30 亿美元资助中小企业的发展，特别鼓励它们进行清洁能源、生物科技等国家优先发展产业的创新，同时呼吁国会继续为中小企业减税；美国小企业局联合能源部等部门一起，帮助创业者和专业指导者进行沟通、联系，让普通的美国老百姓从专家和机构那里得到指导还有资金支持；给非美国专业技术人员提供非移民签证，给学生提供低息贷款，扩大创业种子基金的申请范围，减少专利的申请流程等，总之就是要把创业和创新人才留在美国；最后，美国国家科学基金、商务部等机构还出钱、出力，让实验室里的技术尽快投入商业应用。

这些都是美国政府积极为新兴产业发展创造的有利条件，就像我在前面说到美国风电，特别是海上风电行业的时候提到的，美国政府既没有给进入新兴产业的企业提供"实在"的真金白银，也没打压传统能源产业，始终掌握投资主导权的私人资本在权衡利弊之后，还是审慎地选择不介入海上风电行业，也因此没有卷入现在的全球风电低潮期。

四、重振制造业，政府应该如何"换手"

我们在弄清楚政府在经济活动中的正确定位之后，我觉得我们应该借鉴美国政府在 2008 年金融危机之后重振制造业的做法，尽快由主导经济的"看得见的手"向市场型、服务型政府"换手"。那么，我们的政府应该怎

么做好服务呢？我在这里提出四点建议。

第一，政府主动削减对企业产业升级、转型甄选决策的过多干预。现在，我们的政府希望企业向新兴产业或者高科技产业的方向发展，用什么样的方式引导呢？我们发现，基本是靠补贴、减税这些直接"砸钱"的形式引导企业。坦白讲，我们的企业恐怕也是在看到政府这种扶持政策后，不管自己在行业里有没有优势，基本不做什么分析，就一窝蜂地涌人。比如我们的风电产业就是这么一个情况，结果就导致了重复建设、经营不可持续的结果。那什么是正确的做法呢？首先是企业，企业在产业升级、转型的过程中应该自己选择发展方向，它应该靠什么做出判断呢？市场供需关系、自身比较优势、本国资源禀赋，而政府设置的适宜发展高科技或新兴产业的营商环境只是考虑因素之一。如果企业进行了综合的比较和考量，并且认同政府对未来发展方向的预期，就会投身到该领域，这样，企业才有可能进入一种良性、长期的发展。也就是说，对于如何转型或升级。最终决策权应该掌握在企业手里。

第二，政府要主动减少各种审批制度。那些所谓的"万里长征"式的审批流程能不能不要再出现？坦白讲，这一点非常具有挑战性，道理很简单，因为我们每撤掉一层审批，就意味着动了一部分人权力变现的蛋糕。而李克强总理也说过，"触动利益比触动灵魂更难"。另外，政府还要降低因政府造成的其他不必要的营商成本。比如企业物流环节中的过路费、过桥费能不能降下来？企业，特别是中小民营企业的融资成本能不能降下来？

第三，完善保护知识产权保障体系。各位，我们每天喊着要用创新来带动制造业、发展先进制造业，但是为什么我们的创新能力还是这么差？我要告诉各位的是，我们国家制定的有关知识产权保护的法律、法规，在全世界范围内来看，都可以说是非常严格的。我们在 1994 年、2000 年和 2008 年三次修改了《中华人民共和国专利法》，不断加大保护范围，并且不断加强对专利权人的保护力度。另外，2004 年 12 月的时候，我们的政府还公布了《关于办理侵犯知识产权刑事案件具体应用法律若干问题的解释》，这里面对侵犯著作权、专利权、商标权等行为都做出了全新的解释。对于直接侵犯他人知识产权、帮助他人实施犯罪、进行单位犯罪的，都要承担刑事责任；另外还规定，只要非法经营数额超过 5 万元钱，就要判刑。

各位晓得这个法规的惩处力度有多大吗？即使像美国这样有强大专利制度的国家，侵犯了他人的专利权也不会受到刑罚。美国的《专利法》是怎么规定的？它只是说"专利权人在受到侵害后有请求赔偿的权利"，美国法院最多判给他实际损失 3 倍的赔偿金，而且赔偿金的一半还要交给美国政府，因为起诉人动用了公权力，要收费。

从这点来看，中国对于知识产权的立法保护力度，要比美国大多了。但为什么我们这里还是盗版光碟满天飞，别人的专利随便用呢？其实，归根结底是我们缺少了对法律最起码的敬畏之心。我希望我们能够在辛苦制定《专利法》和其他知识产权保护法律、法规之后，能够继续严格的执行。否则，在知识产权不受保护的情况下，企业就没有创新的动力。想想看，你投入那么多资金和精力搞一项发明，刚投入市场就发现到处被人模仿，那谁还愿意做这种创新呢？这种情况从下面这个对比就能看出差别来，韩国的三星

和 LG，它们的专利申请量每年都在 5000 件以上，日本、美国的一些跨国公司每年的专利申请量甚至有上万件的。但我们国家申请专利最多的企业，年申请量也不过是几百件而已，最可怕的是，我们大多数企业的申请量都是零。

最后，我想再给各位梳理一下本章内容——随着人力、资源、环境等营商成本上涨，我国制造业的低成本时代已一去不返，中国制造业的优势逐渐消失，而以往被忽视和掩盖的深层次问题，正加剧制造业的成本高企趋势。种种危机正在倒逼制造业转型。此时只有政府先转型为"服务型的保姆"，减少对企业微观经营活动的干预和不必要的行政审批，做好知识产权保护等服务工作，制造业转型才能成功。

第十四章　全球"疯抢"页岩气

　　进入 2012 年，美国"页岩气革命"的成功效应继续席卷全球，目前已有 40 多个跨国石油公司正在欧洲寻找页岩气，有 30 多个国家展开了页岩气的勘探和开发工作，中国即位列其中。我国于 2011 年年底将页岩气批准为第 172 个独立矿种；在政府工作报告里特别提出"加快页岩气勘查、开发攻关"；2012 年 9 月，国土资源部在第二轮页岩气探矿权公开招标中，引入民营企业和外资企业，掀起一波投资热潮。从我们的政府到国企再到民企，都给予页岩气开发极大的关注，但现实是，中国在页岩气开发技术、经验等重要领域还仅处在"讲故事"阶段。我们的页岩气会不会继煤层气、光伏等新能源之后，成为又一个"惨痛的教训"呢？

一、"页岩气革命"给世界带来了什么

　　能源这种东西，其实是一种政治商品。每个国家都在想方设法地获取更多的能源，这样才能支撑起军事、经济，乃至整个社会。美国作为现在全球

超级大国，它对能源的渴求，一直都很疯狂。但各位晓得吗？美国原本是二战时期的主要原油供应国，供应战时全球七分之六的石油。当战争刚进行到1942年的时候，有人估算说，如果继续以这个水平供应全球石油，美国的常规石油将在13年内开采殆尽。这之后，美国从石油供应大国转变成了石油进口大国，长期依赖从中东进口的石油。但美国也因此吃过不少亏，比如说1973年第四次中东战争爆发的时候，阿拉伯的产油国实施了长达5个月的石油减产和禁运，导致美国在这5个月里丢掉了5万个就业岗位，GDP损失100亿~200亿美元。从这以后，我们看到的是美国不断染指中东事务，为了争夺石油资源不择手段。

不仅如此，美国还透过打能源战争，拖垮了竞争对手的经济，比如说原苏联。1986年，美国跟当时的苏联还在进行"美苏大战"，其中很关键的一战就是能源战。美国当时看到苏联的经济严重依赖能源出口，它就想方设法地阻止欧洲进口苏联的天然气。不仅如此，它还对中东产油国软硬兼施，逼它们增产降价，让国际油价急剧下跌，能源价格下跌对苏联出口创汇造成了沉重的打击。因为苏联的食品、日用百货、机械设备等都要从西方进口，出口创汇减少让它在购买的时候变得捉襟见肘。比如当时苏联想从联邦德国买一个设备，一年之后正式付款的时候，发现因为天然气价格的暴跌，它要出口相当于过去6倍的天然气才能把那个设备买回来。最后因为缺钱，苏联的几十个大型工业项目只能被迫取消。美国就是靠能源战等主战场最终拖垮了苏联的经济。

但是，我们现在看到的是，美国在能源争夺方面没有那么强势了，为什么？最重要的是它找到了新的能源——页岩气。

页岩气'是从页岩层中开采出来的天然气，是一种重要的非常规天然气资源。页岩气开发具有开采寿命长和生产周期长的优点——大部分产气页岩分布范图广、厚度大，且普遍含气，使得页岩气井能够长期地稳定产气。另外，在开采页岩气的同时，还可开采出页岩油油。但页岩气储集层渗透率低，开采难度较大。目前，随着世界能源消费的不断攀升，包括页岩气在内的非常规能源越来越受到重视。

页岩气革命究竟给美国带来什么好处呢？第一，页岩气的大量供应降低了美国国内天然气价格，在节省了老百姓能源开支的同时，也改变了美国人的日常能源消费习惯。2012 年的时候，美国天然气期货价格比 2008 年下降了 86%。天然气价格下跌后，很多人开始不开汽油车，而是开天然气车了，这就让像石油、煤炭这些传统能源在美国能源消费中的占比大幅下降。第二，大幅降低的能源价格还帮助美国实现"重塑制造业"，或者说本土制造企业回流。奥巴马在 2012 年国情咨文里说，发展页岩气能负担美国未来100年所需气体能源，10 年内将创造 60 万个工作机会。第三，页岩油气的大量开采，不仅让美国减少对进口能源的依赖，而且让美国加大了对外能源出口，让它拿到国际天然气定价权，甚至将改写世界能源格局和地缘政治格局。

我可不是危言耸听，我们可以看一份来自花旗银行的报告，报告中预计：最迟到 2020 年、最快到 2013 年底，由于页岩油气的开采，美国石油和汽油的生产量就将超过沙特阿拉伯和俄罗斯，成为世界领先的能源生产国。

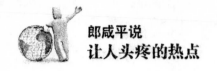

另外一份来自国际能源署发布的报告，则预计美国将在 2017 年取代沙特阿拉伯和俄罗斯成为全球最大的产油国。

说实话，这个消息让人挺担忧的，各位想想看，由于美国的能源需求能够自足，那它就不再依赖中东了。中东那么多石油卖给谁呢？当然是中国、印度这种新兴国家，就拿我们来讲吧，我们国家一半的石油都是从中东运过来的。如果中东局势混乱不堪，那到时候受打击最大的将会是谁呢？当然是包括我们在内的新兴国家了。再加上石油是以美元计价的，而美国一向透过金融操纵，炒作油价，这就极有可能导致石油市场的剧烈动荡，那我们就得过苦日子了！

二、猛扑页岩气。中国真的准备好了吗

美国透过页岩油气的开采所获得的巨大利益，让很多国家羡慕。于是，有 30 多个国家开始对页岩气下手了，而这里面就有我们中国。我们一向是"贫油少气"，能源匮乏已经成为制约中国经济发展的一大瓶颈。

先说说石油。我国石油的进口依存度早就超过了 50% 这一国际警戒线，估计 2015 年将会超过 65%，说我们的命脉捏在别人手里一点都不为过。我们大量进口石油，仅仅是 2012 年，我们的石油进口就高达 2. 8 亿吨，进口金额达到 2206. 7 亿美元。更让人郁闷的是，中国石油储备一直很低。如果中东国家对全世界石油运输搞制裁，美国的石油储备可以坚持 420 天，欧盟

大概是 250 天，日本也能达到 200 天以上，但是我们，仅仅能维持 30 多天。这就意味着，一旦国际形势有个风吹草动，我们就有可能任人宰割。

再说说天然气。天然气是清洁能源，在很多领域能够代替石油。但我国的进口依存度也不低，去年是 28.9%，据估计未来 10 年这个比例可能要上升到 50%。跟石油相比，天然气的运输方式比较特殊，大部分得走管道，这个就很容易受制于人。我举个例子，目前，俄罗斯是世界最大的天然气输出国，很多欧洲国家都是从俄罗斯进口天然气的，主要运输方式就是管道。2009 年新年的第一天，俄罗斯切断了通往乌克兰的天然气管道运输，理由是乌克兰欠俄罗斯国有的天然气巨头——天然气工业股份公司的账不还。这下，欧洲国家跟着倒霉了，因为输出到很多欧洲国家的天然气管道是从乌克兰经过的，所以俄罗斯对乌克兰"断气"之后，后面的保加利亚、希腊等欧洲国家在零下十几度的天气里没法取暖。2010 年 6 月的时候，俄罗斯因为白俄罗斯欠钱不还，又和它"斗气"，也停了对它的天然气供应。那些从俄罗斯进口管道天然气的其他欧洲国家又慌了，然后不停地对俄罗斯和白俄罗斯进行劝解，说万事好商量，但千万别断供。各位看到了吧？进口能源就意味着你得乖乖听别人的话。

为了不受制于人，很多国家都在透过一切办法实现能源供给。我们也不例外。在这种情况下，美国能源信息署告诉了我们一个好消息，它在 2011 年 4 月发布的报告里说，中国可采页岩气储量有 36 万亿立方米（美国是 24.4 万亿立方米，几个月后又被调低了 40%），占全球可采储量的五分之一，位居全球第一。

但是在 2012 年 12 月，我们的发改委发布的《天然气发展"十二五"规划》说，到 2015 年的时候，全国探明页岩气地质储量 6000 亿立方米，可采储量 2000 亿立方米，计划全年要开采出 65 亿立方米的页岩气，这个数字还不到美国 2005 年全年页岩气产量的三分之一。各位是不是觉得奇怪，既然我们在能源方面的缺口这么大，那我们为什么还定这么低的目标呢？我告诉各位，这是因为我们的开采技术真的是太落后了。

我在这里引用一句媒体上的话，就是"中国的页岩气开发还处在'讲故事'阶段，相关企业很多都是业绩差、估值高的公司"。有些朋友会问，为什么不能直接进口美国的成熟技术呢？这是因为我们的页岩气储藏和地质情况与美国不同，需要适合本地的页岩气钻井和压裂技术。但是到目前为止，我们仅仅是初步掌握了页岩气勘探开发的直井压裂技术，像是水平井分段压裂这些专门技术还没有成型。所以一些国企即使拿到了页岩气区块，也只是摸索着进行勘探，而且还要靠政府的补贴，才能维持最基本的勘探工作。总之，和美国那样的大规模商业化相比，我们只能算是初级水平。

美国的"页岩气革命"就像它的科技革命一样，给美国的经济带来了实质性的帮助，也因为影响巨大，在全世界范围内引发了"页岩气热"。目前有 40 多个跨国石油公司正在欧洲寻找页岩气，有 30 多个国家展开了页岩气的勘探和开发工作。但是至今除美国外，只有加拿大实现了页岩气的商业化开采，在 2009 年就达到了 72 亿立方米的产量。但加。拿大的油气管网主要通往美国，因美国本土已是天然气产量过度，使得加拿大的页岩气销售非常不理想，这也影响了它的开发速度。而其他国家对开采页岩气的尝试，不是被搁浅了，就是还处在探索阶段，总之都没有达到商业化开采的程度。其中法德两国认为开采技术不环保，法国宣布禁止开采页岩气，德国正在研究是否要禁止开采；而中国、南非等发展中国家则是对复制美国的"页岩气革命"充满了期待，甚至制定了宏大的页岩气发展规划。

坦白讲，我对我们的页岩气开采前景，不是很乐观。我的判断依据是，我们过去对煤层气等其他天然气的开采经历——在能源技术上缺少杀手锏，在发展过程中又受到各利益方掣肘。

煤层气的开采在很多方面和页岩气非常相似，我就以它为例，和各位好好聊聊。煤层气就是常说的瓦斯，它和煤炭在同一储层，和页岩气的能源属性有很多相似的地方，都是非常规天然气，也是清洁能源。中国煤层气的储量超过10万亿立方米，全球排名第三。美国在煤层气方面的研究、勘探和开发利用也和页岩气一样，都是世界领先的，是全球煤层气商业开发做得最成功的国家。给各位看一组数据，美国1989年的时候，它的煤层气占天然气总产量的比重还不到1%；到2006年，这个数字被提升到了10%，并且之后一直在10%上下浮动。那么我们的煤层气产业呢？差不多和美国一样，我们也是从20世纪80年代中期就开始进行煤层气的勘探研究，然后关于煤层气的开发利用计划一次次被我们写入"十五"规划、"十一五"规划、"十二五"规划，但就是在这么多政策的支持下，我们的煤层气开发还只是处在初级阶段。

为什么会是这样一个结果呢？我认为原因有四点。第一点，我们国家煤层气的储存特征是低渗透、低饱和、低储层压力，地质条件复杂，抽采难度

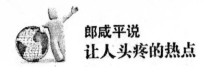

大。所以我们必须要有技术含量更高、售价也更高的多分支水平井技术。但是目前这项技术，还处在研发和初试阶段。

第二点，煤层气开发企业在这么大投入的情况下，我们的政府透过政令长期将天然气的价格压制在低位，让开采煤层气的企业长期亏损。我想请问，这些企业在亏损的打击下，能加大投入开发新技术吗？

第三点，一些煤层气抽采出来后，进不了管网，只能就近局部区域使用。这是因为我们国家80%的天然气管网都在中石油的掌控之下，它自己本身经营煤层气，当然不愿意别人的煤层气使用自己的管网输送，抢自家生意。

第四点，煤层气和煤炭是相生相伴的，采矿权本应归属于同一主体，这样抽采结合，让资源实现有效配置。但是在我们国家，煤炭和煤层气的采矿权是分离的。煤层气属于国家一级管理矿种，由国土资源部管理，而大部分的煤炭资源的探矿权和采矿权都是由所在地的地方政府管理，这就造成了产权重叠问题。说得明白点，就是在地方开采煤矿的时候，国土资源部怕地方政府拿走自己的煤层气；地方政府也怕国土资源部在开采煤层气的时候，动了自己的煤矿。在这种利益的相互牵制下，煤层气开采水平的每一步发展都是很难的。

那么，美国政府是如何在这些方面推动煤层气开采的呢？我简单概括一下，就是政府透过出台相关扶持政策进行引导，然后，由市场进行定价。美国在推广煤层气的时候，先后出台了《能源政策法》、《能源以外获利法》、《气候变化行动计划》等法律规章；同时，美国政府还透过立法，取消了对天然气价格的管制，让煤层气和天然气一样，采用市场定价体系，让美国的煤层气开采具备商业价值。透过美国的成功经验，其实说明了一个原则，就是不管是煤层气开采，还是页岩气开采，如果中国要想做得和美国一样成功，就必须在市场准入、能源定价等方面开放市场，让市场自己去做。

三、开放国内页岩气市场，谨防外国能源公司入侵

我所说的开放市场，是要我们的政府把入门门槛降低，放我们的民营企业人局。而不是指打开国门，让外国能源公司进来。正相反，我认为我们应该防范跨国公司借助技术共享这个理由，和我们合作开发页岩气。为什么这么说？告诉各位，欧美的能源公司其实还有另一个身份，就是欧美国家的能源大使，它们有自己的使命，就是以能源商贸为突破口，影响全球能源、政治格局。

我给各位举两个例子。二战之后，美国政府让美国的能源公司，担当准外交官的角色，和海湾地区的阿拉伯国家保持友好关系。从那个时候起，美国政府就开始加强石油利益集团在海外的发展。1940 年代，美国当时的四大石油公司——加利福尼亚标准石油公司、德士古石油公司、埃克森石油公司和美孚石油公司——完全控制了独揽沙特石油资源的阿拉伯—美国石油公司（简称阿美石油公司），而沙特政府却在里面没有任何分量可言。

各位晓得这个阿美石油公司在当时有多厉害吗？1960 年的时候，它的

原油年产量达到了 6000 万吨，而我们的中石油直到 2007 年才实现海外全年产油超 6000 万吨。阿美石油公司的年产量对当时沙特王国的财政收入，还有原油产量和价格都起到了决定性影响。但是当时沙特政府只能在阿拉伯一美国石油公司里派驻两个代表，实权全部掌控在四家美国石油公司手里，相当于沙特一国的命脉都握在这四家美国公司，或者说美国政府的手里。所以在当时，美国政府可以使用沙特的电台、机场、港口，甚至是行政系统和治安部队。

沙特肯定不干啊，所以整个 20 世纪 60 年代它都在想方设法从美国手里夺回阿美公司，它又是成立石油输出国组织（OPEC），又是建立国有石油矿业公司和阿美石油公司展开合作等等。20 世纪 70 年代爆发石油危机，全球石油紧俏提高了沙特政府的地位。1972 年美国政府终于同意沙特政府参股阿美石油公司的请求，然后沙特政府就一点点地买回阿美石油公司的股份，一直到 1980 年才把阿美石油公司全部赎回来成为国有企业，但是原来的四家控股美国石油公司还按照原先的协议经营，还要包销沙特自己卖不出去的石油。而且沙特还是美国在中东最亲密的铁哥们，美国也是沙特在阿拉伯世界以外的最好的盟友，两国之间牵扯至今不断。

再说欧洲国家，法国前总统戴高乐在 1965 年成立了埃尔夫石油公司，这个可以说是法国国有企业的石油公司，一直和法国政府有密切关系，而且法国的各政治党派也一直和埃尔夫公司的高管有往来。埃尔夫公司主要的活动范围就是非洲的几个产油国，比如喀麦隆、刚果共和国、安哥拉等。这些国家过去是法国的殖民地。所以，埃尔夫在非洲也被看成是法国"后殖民时代"的象征。

那埃尔夫公司是怎么做的呢？它业务所在的几个非洲国家政府如果遇到财政问题，或者想筹集资金打仗，埃尔夫就会告诉它们，你和我签个合同，我给你钱，你把未来几年的石油产出交给我来还债。埃尔夫在非洲的一贯做法，甚至有一个名字叫"埃尔夫方法"——靠使用石油作抵押提供贷款等方法在某国扩大其势力。比如 1997 年刚果共和国发生内战，埃尔夫出钱支持交战双方；1975－－2002 年安哥拉内战，埃尔夫一样出钱支持交战双方。我们先不说埃尔夫和它背后的法国政府到底有什么样的政治主张，单就看它们的这种金援行为，收益最大的绝对是埃尔夫，因为它拿到了两国贱价出售的未来石油；而倒霉的则是内战国的老百姓，因为有埃尔夫的资金支持，战乱持续了很长时间，这对当地的老百姓产生了极大的伤害。

1999 年，埃尔夫公司和法国、比利时合资的道达尔菲纳石油公司合并。但在 2003 年的时候，原埃尔夫的 30 个高管都被告上了法庭。起诉的理由是他们"滥用公司资产大约 3．5 亿欧元，而且这些钱都流人了神秘的银行账户；另外，他们还把公司资产用来买豪宅和昂贵的奢侈品"。我们完全可以推测，这些不翼而飞的公司资金其实就是法国对非洲国家的金援资金。最后，埃尔夫石油公司的前任主席、前任董事长，还有非洲石油业务负责人都被罚了巨款；被叫作"非洲先生"的非洲石油业务负责人还被判了刑。

所以说，我们必须警惕欧美国家政府对其他国家的能源入侵和政治操控。目前，我看到的是我们的中石油和壳牌合作在四川、陕西等地勘探、开采页岩气；中石化和美国的雪佛龙、埃克森美孚，还有英国的 BP 石油公司

合作在贵州、四川等地勘探、开采页岩气。另外，2010 年我们首次对页岩气区块矿业权招标的时候，我们的发改委还把美国能源部，雪佛龙公司、哈利伯顿公司等美国从事页岩气勘探和开发的公司都叫来了，为的是给我们的能源企业人员进行培训。我想在这里提醒各位，过去美国是透过资金的方式侵入能源储备丰富的国家，干涉他国的能源战略和内政。现在，它还是让能源公司打前阵，只不过是换了一种方式，用技术做诱饵，不断参与我们的新能源开发。

四、靠发展民营企业实现中国版"页岩气革命"

虽然，我提醒各位不让美国能源企业轻易进入中国，但是我们还是要好好学学美国是如何推动"页岩气革命"的。其实，核心思想只有一个，就是降低市场准入门槛，让大企业和小企业在页岩气产业链上各司其职，协同发展。美国的页岩气产业链是由大型石油公司、中小型石油公司，还有油田技术服务类公司组成的。因为市场高度开放，这个产业链上现在有8000多家油气公司，而这里面7900多家都是中小企业。这些中小企业一般又分成三类——油气公司、油田服务类公司和设备供应商。

先说小型油气公司，因为美国土地都是私有的，如果选取一块区块进行开发，就需要一家一家地和土地所有人去谈搬迁的事，大公司一般不愿意这样做：一是因为住户太分散；二是怕土地所有人见到大公司就坐地涨价，所以它们更愿意把这些事交给小公司去处理。小的油气公司劝说好了区块上的土地所有人，拿到采矿权并且形成一定规模之后，大型油气企业直接从它们手里把区块买下来。其实小油气公司也非常愿意把生意打包卖给大公司。因为美国法律规定，公司拿到开矿权以后必须在规定时间里开始打井。由小公司打井，如果碰到天然气价格高的时候当然比较合适，如果天然气价格在低位，那它就会赔钱。小公司一般不愿意承担这种风险，所以都会选择直接把区块打包卖出去。

再说油田服务类公司，它们通常是给大型油气公司进行评估、做勘探方案、钻井或者开采等。因为业绩表现好，这些公司在美国股市上的表现也非常不错，比如美国的斯伦贝谢公司，它2012年的股价就是2008年的两倍。

其实，在美国开采页岩气的产业链中，各方都在自己的那个环节上有利可图。小型的油气公司就是依附大公司，向它们提供服务，短期内获得收益；大型的油气公司虽然在短期内因为天然气的低售价，会产生亏损，但是它们看重的都是页岩气的长期发展。一旦美国页岩气下游市场彻底打通，和下游消费者直接签长期合约，就会产生长远的利益，所以它们挣的是远期的钱。

另外，美国关于页岩油气的信息是高度开放的。如果一家油气企业打算勘探或者是开发一个页岩油气区块，它必须获得州一级政府的许可，一切工作做完以后，还必须把有关资料提交给地质调查局等相关的机构，而这些机构将会在大约两年后向公众开放上交的资料。正是因为这种信息的高度开放，中小企业可以直接从政府那里免费获得哪里有井位，哪里有油气资源的

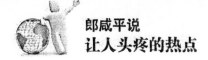
消息。不像我们，还要中小企业自己花钱去找信息，重复投资造成很多资金的浪费。

透过美国的发展路径，我也给我们的政府提三点建议。第一点，进一步开放页岩气市场，降低市场准入门槛，让更多的民营企业，特别是中小企业参与进来。第二点，要尽快制定好页岩气开发的产业政策。如果产权、开发技术规范标准等这些都不明确，谁会愿意进行大投入，搞勘探、搞技术研发呢？第三点，政府要透过政策导向，比如定向补贴等政策，让我们的大型企业、中小企业搞清楚自己的定位。我们可以像美国页岩气市场的角色划分那样——中小企业主攻油气公司、油田服务类公司和设备供应商三类，依附于大型油气企业，透过提供服务赚钱；大型油气企业短期亏损，然后瞄准长期市场。

2010年6月，在页岩气被列为独立矿种之前，国土资源部曾进行了页岩气探矿权的首次公开招标。当时国土资源部拿出了4个区块的探矿权，参与竞标的是6家国有企业，中石油、中石化、中海油、延长油矿、中联煤，还有河南省煤层气开发利用有限公司。当时页岩气的探矿权完全还是国有垄断模式，最后是中石化和河南煤层气公司分别竞得了一个区块，另外两个区块流标。

我们现在的页岩气开发过程，有没有小企业参与的空间呢？我们来看一个消息。2012年5月17日的时候，中国国土资源部网站发布了《页岩气探矿权投标意向调查公告》，这里面规定的投标人资格条件是：具有石油天然气或气体矿产勘查资质、注册资金在3亿元以上的内资企业、独立法人。也就是说，我们的民营企业在错过 2010 年第一轮页岩气招标后，终于有机会和国有企业一起，分食页岩气开发这个大餐了。

2012 年 9 月，国土资源部放出开启第二轮页岩气探矿权公开招标的消息以后，具备准入资格的民营企业，像新疆广汇、MI 能源、宏华集团等，都跃跃欲试。我因为比较关注我们页岩气的发展情况，所以特别留心了一下 12 月 6 日公布的投标结果。坦白讲，这个结果在情理之中，但还是让我非常失望。在国土资源部公布的结果里，16 家企业中标 19 个页岩气地块，其中民营企业只有华瀛山西能源投资有限公司和北京泰坦通源天然气资源技术有限公司 2 家，剩下的 14 家中标者全是我们的国企。

各位要注意一点，这次公开的企业还只是进入每个区块的前三名，规定必须是得分第一的中标候选企业才能真正拿到区块的开发权。也就是说，这两个挤进名单的民营企业，如果不是排在区块的第一位，那它们最终就抢不到任何探矿权。更让我感到气愤的是，这些中标的国企大多是页岩气开发的"门外汉"，像华北电力集团和它的子公司，以前没怎么接触过页岩气，甚至对整个油气开发过程都不熟悉，竟然中标了 19 个区块里的 5 个。另外就是地方能源投资公司，它们也是第二轮投标的大赢家，重庆能投、铜仁市能投、湖南省页岩气开发公司、河南豫矿地质勘察投资公司等，这些各位应该从来都没有听过的地方能源公司也中标了，而且还拿到了第一中标人的身份。除了我们的民营企业，它们还战胜了谁呢？我们常说的"几桶油"，中石油、中石化、中海油还有延长石油，它们在这次的竞标里竟然颗粒无收。

所以，透过对页岩气区块第二轮投标的结果来看，虽然政府放民营企业进场，但我们仍然可以看出，页岩气区块的分配并不是按照市场的意愿，而是按行政旨意进行的，这和我在前面所说的美国页岩油气开发方式还有很大差距。如果长此以往，我想请问，我们的页岩气产业开发什么时候才能爬出"初级阶段"？我们的老百姓什么时候才能像美国老百姓那样，用上便宜的天然气？

第十五章 电商"三国杀",拼的
究竟是什么

2012 年是中国电商发展史上最为血腥的一年,这一年爆发了多次"史上最强电商价格战",B2c 领域的版图之争不断上演。最吸引眼球的,当属 8 月 15 日京东针对苏宁、国美的"三年零毛利"宣言,而苏宁、国美也不甘示弱,跟进降价,由此掀起又一轮价格战。

仅仅一周多后,京东主动表态战事"暂告一段落",各方鸣金收兵。价格战虎头蛇尾,先演变为公关战,后被鉴定为是"价格欺诈"。其实,事态演进过程并不重要,重要的是京东为什么发起这场战争?而在这场价格战中的各方势力,其核心优势都是什么?这才是透过热闹该看的门道。

一、苏宁不想做下一个百思买

现在越来越多的人喜欢在网上买东西,方便还便宜。网购的增长率也远远超过了实体店的增长率。这种趋势从 2009 年开始更加明显。而对于实体

店来说，除了遭受到来自网购的冲击，自身的运营成本也不断上涨。可以说，实体店正经历着前所未有的冲击。我们先看一组数据，2009－－2011年的两年间，苏宁的人工和租金成本上涨了90%，但是年销售额只上涨了60%。2012年之前的8年中，苏宁的复合利润增长率超过60%，而2012年竟然是－44%。透过这组数据的对比我们可以看到，人工、租金成本大幅上涨，加上网店的强烈冲击，实体店的利润已经被压缩到最低了。

再不谋变的话，大洋彼岸的百思买就是前车之鉴。之前，百思买已经稳坐全球电器连锁行业头把交椅多年。但现在，在亚马逊等在线零售商的强劲攻势下已现颓势。国外的消费者跟现在的我们很像，喜欢跑到百思买的实体店里先进行体验，然后去网上商城买价格更低的电器。搞得百思买沦为网店的商品展示橱窗。显然，苏宁不想步百思买的后尘。

百思买（BESTBUY）是全球最大的家用电器和电子产品的零售和分销及服务集团。整个集团包括 BESl，BUY 零售、音乐之苑集团、未来商场公司、Magnoha HiOFi、以及热线娱乐公司、Future Shop、五星电器。在以亚马逊为首的电商冲击下，百思买不断收缩战场。2013年5月初它宣布将出售其在欧洲合资企业中所持的50%股份给合作伙伴卡冯－维尔豪斯集团，这项决定意味着百思买全面退出欧洲市场。这条新闻让人不禁联想到2011年2月22日，百思买宣布退出中国市场，而其官网公告的措辞为"将关闭在中国大陆地区的9家百思买门店，并计划将于2012年间在中国开设将近50家五星电器门店"，等于宣告了百思买运营模式在中国市场的失败。

苏宁的老总张近东说，如果我做电子商务的话，可能会犯错，可能会倒下，但是我不做的话，肯定会倒得更快。所以他从 2010 年开始办起苏宁易购。它的战略目标非常清晰，就是尽快地缩小同京东这种老资格电商的差距，越快越好，差距越小越好，甚至有点不惜代价的味道。

京东当然看到了苏宁的意图，作为电商中的老大，自然不愿意看到突然冒出一个竞争对手跟自己抢夺地盘。于是京东先下手为强，率先开火。2012 年的 8 月 14 日，京东 CEO 刘强东发布了一条微博，瞬间引起轩然大波。刘强东说：京东大家电 3 年内零毛利！且所有大家电价格保证比苏宁、国美便宜 10%！苏宁易购立刻迎战，当即回应说，如果消费者发现苏宁价格高于京东，将可获得两倍的差价返还。于是一场硝烟弥漫的电商"三国杀"拉开了序幕。

从表面上看，苏宁是在被动应战，但实际上，苏宁是双管齐下夹击京东。

第一招，苏宁凭借多年来和大家电厂商良好的合作关系，联合它们向京东施压。本来只是大家电在线上玩"价格战"，但苏宁线下价格与线上价格日趋一致，这就相当于把战火引到了线下，影响到了大家电厂商的核心利益，它们只能无奈"站队"，选择支持苏宁。所以在这次混战中京东三分之一的供应商都显得不太积极，甚至还传出海尔终止与京东合作等消息。

第二招，以其人之道还治其人之身。在京东的销售额中，大家电只占 15%，真正占大头的是计算机、通信和消费电子类的产品，也就是 3C 产品，占到 77%。苏宁跟京东不一样，它的大家电占比是 55%，而其他 3C 产品是 45%。京东应该是做过这种分析的，所以一开始选择了以大家电为价格战的

主战场，希望用比较小的代价去砸对手的大蛋糕。苏宁当然也明白这一点，所以紧接着在 3C 产品阵地上主动开火，对于苏宁来讲，进攻才是最好的防御。

第三，即使苏宁是后来才开始扩展线上业务，但苏宁有自己特别明显的优势。作为电商，它依托的物流体系和京东完全不同。电子商务看起来比传统企业少了很多固定成本的投入，却要比传统企业多出来一个物流成本。实体店是在店面提货的，而在电商购物是需要配送的，这个配送的物流成本大约占到成本的 10% 左右。对于苏宁来讲，之前一直是做实体店，现在在全国有 1700 多家店铺，这让苏宁本身具有非常好的仓储和运输基础。现在开展线上业务，顾客在网上下订单，它可以在最近的店面发货，这样就省去了中间大部分的配送成本。就这点而言，苏宁是比京东有很大优势的。靠着这 1700 多家店铺的销售网络，苏宁的送货范围比京东还要广，已经有 110 个城市可以做到半日达，200 个城市做到次日达，这是个不得了的成绩，苏宁的这个优势也给京东造成了很大的压力。

二、京东"三板斧"，高效整合产业链

当然，京东之所以敢挑起这场大战，是做过分析的。我们还是先看一组数据：苏宁在 2005 年的销售额是 159 个亿，2011 年是 939 个亿，年增长率是 34% 左右。京东呢，它在 2005 年的销售额大概只有 0．3 个亿，2011 年

就增加到了 210 个亿，年增长率高达 198％。京东的成长势头相当迅猛，那它是依托什么实现这么快速增长的呢？透过调研我们发现，京东对整条产业链上的物流系统进行了高效整合，使得物流效率大幅增加。正是依靠优化这个物流系统，京东让公司的整体成本大幅下降。

对于产业链，我在我的《产业链阴谋》一书里做过很全面的解释。产业链是个非常有意思的东西，我们买的大件商品比如汽车，小件商品比如圆珠笔，都不是说简单靠一个制造商就能够做出来的，它一定出自一整个产业链。一定会经过产品研发、原料采购、仓储运输、订单处理、批发以及零售这六大非制造环节，再加上制造，也就是"6 + 1"，这个"6 + 1"就形成了一个完整的产业链。而在这个产业链中，制造是附加值最低、最不赚钱的一个环节。在一个产品从研发到零售的过程中，制造环节所创造的价值不到 5％，甚至更低。真正的竞争力在这个"6"里。我早在 2008 年的时候，就跟各位分析过，今天的竞争，已经不是企业的竞争，也不是产品的竞争，而是产业链整合的竞争。谁能整合出高效的产业链，谁就能在竞争中胜出。

坦白讲，京东在这方面走到了前面，它现在的最大优势就源于对这六大环节中的四个进行了高效整合。仓储运输、订单处理、批发和零售，这四个环节加在一起叫作大物流环节，这个大物流环节有效整合之后，就能在竞争中拥有主动权。京东也是用了这个方法，革了实体店的命。那么，京东是用什么方法把这四块整合在一起的呢？我总结了一下，并起了个名字，叫作"三板斧"。

第一板斧，是建立全世界最高效的物流系统。讲到物流，我们通常会想

到顺丰快递、圆通快递这类公司。如果京东选择透过这些快递公司进行配送，会有一个难题：由于快递公司无法判断每天会接到多少订单、送什么货、送到哪里、多少重量、多少件货等，这就导致整个物流系统处于一种不确定状态。为了应付突然增加的电话，或者是突然增加的运货量，快递公司必须保有平均30%的多余运力。如果京东想要做到高效派送，就必须负担这额外的30%运力。对京东来讲，这会在很大程度上抬高成本。

因此，京东的第一板斧就是，不用现成的快递公司，而是从2007年开始建立自己庞大的物流系统，并在3年之后正式运营。京东除了开展常规送货体系外，还在北京、上海、广州和成都推出叫作"211限时达"的服务：对于小件货品而言，如果你是早上11点以前下订单的话，它保证当天将货物送到你指定的地方（当然是京东的送货范围之内）；如果你是在晚上11点之前下订单的话，保证第二天可以送达。

京东的配送效率非常高，"211限时达"的履约率竟然能够达到97%。而且京东到现在为止已经把自己的物流服务拓展到了300个城市，其中25个可以做到"211限时达"。这一点是包括美国亚马逊在内的其他公司都比不上的。各位晓得吗？美国的亚马逊到现在才开始做京东的这些服务，而且只是在几个城市做试点。

第二板斧，透过网站点击率来预测需求。京东总共有200多万种货品，如果每种货品都来个"211限时达"的话，你晓得这个工作量有多大吗？给各位举个例子，假如今天在某一个小城，突然有个人要买一台冰箱，或者一台电视机，你有没有办法从北京、广州、上海等地的仓库发货直接送过去呢？这么远的距离还能做到"限时达"吗？即使订货的人就在上海某一个区，比如奉贤区，你有把握顾客上午11点前打电话订购，你下午就可以送到吗？如果在他打电话订购的时候，这个货物刚好就在他附近的仓库，那当然可以"限时达"了，但如果不在附近，而是在很远的地方呢？京东有200多万种货品，能在这么多城市做到"限时达"，它是如何做到的呢？

京东先是透过网站点击率来预测需求。比如说今天有100个人点击浏览了这台冰箱的网页，当然了，这100个人不可能都购买。不过查看历史数据归类统计的话，京东会发现这100个点击冰箱网页的人里，可能有10个人会最终购买。另外，透过对这个历史数据的分析，京东发现每个人从第一次点击，到他在网上货比三家，或者到实体店看一看，最终决定购买京东的货品，这个过程平均要花费2.7天的时间。这个非常厉害，就凭2.7天的时间差，京东就能够把货物运到这些点击者附近的仓库。当然，不排除一些点击者选择的送货地点和他所在的位置不在同一个城市，但那毕竟属于少数，可以计算在误差之内。比如说，奉贤区刚好有100个人点击冰箱，按照过去的数据分析，大概10个人会买，所以在2.7天当中，京东就会从闵行区或者松江区的仓库里面调10台冰箱去奉贤区的仓库。等这10个人来购买的时候，京东就可以在当天把货物送去。像奉贤区这种二级仓库，它的履约率可以高达92%。而且，透过对数据的分析、对货物的提前调配，京东把每一件货物的库存时间平均控制在20天，很大程度上减少了库存的成本，在这一点上，京东确实做得非常好。

第三板斧，精细化管理。京东在这方面做的还是比较到位的，就拿货物

被派送之前的包装来讲吧，这个如果能做好的话，也可以节省很多成本。比如说，当你要运送一台冰箱，或者一台电视机的时候，外面的纸盒、纸箱，你怎么包装？塑封胶带你打算缠多少圈？如果之前你缠一圈，那有没有可能缠半圈，甚至可不可以缠四分之一圈呢？各位不要小看这一圈和半圈的差别，对于每天要派送几十万件商品的京东来讲，累计起来所节省的成本可不是一个小数目。

另外，作为京东的快递员，在派送货物的时候，你背包里面的东西要怎么放？是把先到达的放外面呢，还是小件物品放在比较靠外面呢？这看似是个小问题，但这会直接影响快递员派送货物的效率。还有，如果你开车送货的话，你要走哪条路？堵车的现象对于各个城市来讲，已经是常态了，同样的道路在不同的时间段，堵车的严重程度是不同的，那在货物派送前，提前规划好路线，也是一种精细化管理。京东在这些方面都做到了。据估计，这种精细化管理让京东的物流成本平均下降了30%。这相当于每做一单生意，京东就比竞争对手平均少10块钱的物流成本。那这10块钱最后变成了什么？当然是京东的利润。

三、亚马逊.一个危险的旁观者

就在京东和苏宁混战的时候，还有一家电商，似乎事不关己地在看着热闹。而且这家电商应该算是个外国老师，京东也好，苏宁也好，甚至淘宝，都是它的学生。这位外国老师，就是亚马逊。

亚马逊最早是在网上卖书的，后来像淘宝那样什么都卖，成了综合网络零售商。亚马逊绝对是物流方面的大师，它一直靠不断降低免运费门槛来打击竞争对手。比如，亚马逊美国免运费订单的最低额度，从2001年的99美元降到2002年的49美元，当年进一步降至25美元。2005年，亚马逊又推出一项会员服务，一年支付79美元，就可以享受无限量的免运费两日内送达服务，以及折扣价的次日送达服务。

亚马逊的物流促销，成为了电子商务行业的经典案例。另外，它还用5年时间使全球物流成本降低近一半，保证物流促销不会招致亏损。这件看似不可思议的事情，亚马逊是如何做到的？

亚马逊中国拥有业界最大最先进的运营网络之一，目前有15个运营中心，分别位于北京（2个）、苏州、广州（2个）、成都（2个）、武汉、沈阳、西安、厦门、上海（昆山）、天津、哈尔滨、南宁，总运营面积超过70万平方米。其主要负责厂商收货、仓储、库存管理、订单发货、调拨发货、客户退货、返厂、商品质量安全等。同时，亚马逊中国还拥有自己的配送队伍和客服中心，为消费者提供便捷的配送及售后服务。

首先，亚马逊有非常先进的物流体系。亚马逊的配送环节全都是外包出去的，美国境内的业务，外包给美国邮政和UPS，国际部分的业务，外包给基华物流CEVA、联邦快递等。但是，它有一点做得非常好，就是牢牢掌控着物流环节。其实，亚马逊一直在大规模地建设"物流中心"。截至2009年底，亚马逊在美国本土拥有物流仓储中心约110万平方米，在海外则达到

53 万平方米。这些物流中心，除了为亚马逊自己的货物提供收发货、仓储周转服务外，也为亚马逊上的第三方卖家提供物流服务。也就是说，无论是个人卖家还是中小企业，都可以把货物送到较近的亚马逊物流中心。通过物流中心，亚马逊将分散的订单需求集中起来（不仅是信息集中，也是货物集中），再对接 UPS、基华物流等规模化物流企业，这样其实就发挥了统筹配送的规模效应。

但是我很遗憾地发现这种模式在中国很容易水土不服。亚马逊一直倚赖的第三方物流策略，到了中国就不得不作出改变。因为中国的第三方快递达不到亚马逊的要求，这就对亚马逊的信誉度造成了很大的损害。没有其他可行的办法，亚马逊只好去做自己的物流。其实京东最开始也是用第三方物流，只是它很早就意识到了国内第三方物流存在的问题，并很快行动，用重金改造物流，这也成就了今天的京东。

虽然亚马逊在中国的物流要落后一点，但它还有一个杀手锏，这也是我们国内电商应该学习的地方：在亚马逊的高效物流中，高科技扮演了很重要的角色。要最快地满足随机的用户选购行为，就需要对货品作最精细化的管理，而精细化的管理，又必须依赖强大的信息系统。

亚马逊在全球的物流中心都相当庞大，每天进出的货品种类繁多，仓库内的管理相当复杂。在近 10 万平方米的仓库中找一本书并不是件容易的事儿。订单生成后，又可能遇到某些商品在附近仓库缺货、无货的情况，这就需要从其他仓库发货，然后进行"拼单"处理。此外，由于部分商品被退换回来，商品可能二次进出仓库。怎么来提高拣货员的拣货效率、更加有效地调配资源呢？这就需要把物流同信息流结合在一起，通过信息化手段对货品及运输信息进行集中管理。如果没有强大的 IT 系统集中控制货品信息，一方面会增加很多的人工成本，另一方面还会增加错误率，从而加重物流成本负担。亚马逊在利用机器、IT 系统的自动化与智能化方面下了很大力气。为了进一步提高物流中心运营效率，亚马逊还在 2012 年斥资 7.75 亿美元，收购了机器人公司 KivaSystems。这家公司开发的机器人能够在仓库中灵活穿梭，抓取和移动货架和装货箱，加快订单执行速度。

另外，各位发现了吗？亚马逊从来不打价格战，因为它不是靠价格取胜的。用它的话说，它的定位是"最以客户为中心的企业"。确实它的用户体验非常好，尽最大可能让用户访问的是个性化的界面；而且在诚信度上，比我们国内电商要高，比如从来不搞人为的好评或者差评，也从不把卖家当成提款机。相反，很多卖家在亚马逊上开店，都是不用付费的。可是你看京东对第三方卖家，一上来就是 10000 元的交易赔偿金和 6000 元的平台使用费，后期还有交易服务费等。所以，亚马逊是凭着价格之外的服务，实现了20% 以上的毛利率，这点是我们国内电商望尘莫及的。各位知道京东的毛利率是多少吗？不到5.5%，而且亏损率达到了 5%。

亚马逊在中国吞并了卓越之后，一直都在消化，如果说亚马逊做好了准备，那国内的电商们，是不是也应该保持警惕，而不是一味地互相残杀呢？

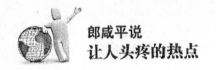
四、违背商业逻辑的价格战没有赢家

说完了物流，我还想就这场电商大战再多说一点。那就是，价格战究竟有没有给消费者带来实实在在的好处？

京东、苏宁都宣称自己的价格比对方低。可是各位晓得吗，这些电商都聪明得很，它们后面的生产厂商也都不是傻子。供货商把每个产品都略作一点差异化，比如说同样一款笔记本，给京东的可能是带蓝牙的，给苏宁的可能是不带蓝牙的，然后给国美的可能是带个读卡器的，给另外的店可能是带有不同的服务功能的，每一款就差个几十块钱。那我请问你，它们算不算同一个类型呢？当然不算。比如国美实体店，它说我们这个空调的价格低于网购，但是同样型号的空调，你去网上查找根本找不到。再比如清华同方，它有一款电脑叫"精锐"，我们查了一下，它卖给大中电器北京马甸分店的产品叫作精锐 V41H，另外一款很类似的精锐 V41 – 07 卖给谁呢？卖给苏宁易购。有媒体抽查了 9 类商品，其中的海尔空调在京东商城上有 48 个在售型号，苏宁易购上有 41 个，但两家电商仅有 1 个重合的型号，可供对比价格。

除了产品差异化这种看起来还算说得过去的情况，还有更虚的招式。比如在促销以前先把产品提价，然后显示降价优惠，但事实上降价后比之前的价格还要高。更让人生气的是，消费者辛辛苦苦货比三家之后，发现想买的东西要么显示"无存货"，要么就是无法交易。所以，根据一淘网当时作的调查，在这场京东、苏宁大战当中，真正降价的产品不到总数的 4．6%，用"坑爹"来形容这场名不副实的价格战是再恰当不过的。

当然商家谁也不愿意背上价格欺诈的罪名。之所以不愿意真刀真枪地打价格战，也是因为它们都晓得打价格战所要付出的代价非常大。在这方面，我们很多企业都是有血的教训。就拿 1999 年国内彩电价格战来讲吧，这场价格战给我们的教训就是：靠真金白银来打价格战的结果就是大家都很受伤。当时打响第一枪的是长虹，但损失最惨的也是它，当年的净利润下降74%。其他的厂商，像 TCL、康佳、乐华，日子也不好过，都是"流着血在打价格战"。而且城门失火殃及池鱼，连上游的元器件厂商都抵挡不住冲击，作出停产一个月保价的决定。整个彩电行业可谓哀鸿遍野。那次降价不仅消耗了企业资源，透支了企业的未来竞争力，而且整个行业的生存环境都变得更为艰难——连基本的售后都提供不起。那我们就不难理解，为什么京东跟苏宁不敢真刀真枪地拼命了。

弗里德曼说，商业的本质是利润。但是利润要通过公平、双赢的交换来实现，而价格战违背了商业的基本逻辑，把商业定性为"不是你死，就是我亡"的战争，结果到最后，是不会有真正的赢家的。京东最近几年的销售规模虽然急剧膨胀，但它的营业利润率从来都是负的，根据 201 1 年的数据显示，京东的营业利润率已经是－4．9%了，也就是说，它只是在赔本赚吆喝，那我想问，这样赔下去，还能撑多久呢？我们回顾一下京东的创业史，可以发现它之所以能在一夜之间家喻户晓，很大程度上得益于 2007 年获得的大笔风险投资，雄厚的资本为它的迅速扩张乃至打价格战，打了一支

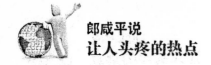

强心针。但我想提醒各位的是，如果只想依仗雄厚的资本，透过打价格战的方式来灭掉其他同行，是行不通的，到最后，也必然会受到商业逻辑的惩罚。而在这次价格战中，我觉得苏宁要比京东划算一点，因为透过价格战，苏宁确实赚足了线上业务的广告效应。但以这种方式亮相，一旦消费者看透了价格战的玄机，这种看似精明的做法，很可能让它得不偿失。

透过对这次价格大战的分析，我想说的是，对于电商而言，要么你就真正做到让利于消费者，如果做不到的话，那就应该在其他地方寻求突围，比如提升你的服务质量，或者提供真正独家的商品等。我希望电商都记住一点：有价值的商品和服务是根本不需要打价格战的。对于消费者来讲，也不要那么天真，你想从这种价格大战中捡到便宜的几率是很小的。

第十六章 "史上最难"就业年，
仅仅是个开始

　　2013 年我国高校毕业生数量创下 699 万的新高，这一群人正共同面临新中国成立以来的"最难就业年"。让人更为担心的是，未来五年，高校毕业生人数还将保持在年均 700 万左右的高位。在就业难的形势下，"拼爹"成了首选，以至于流传着"恨爹不成钢"的说法。我们的大学生怎么就这么无奈呢？想找一份工作真的这么难吗？

　　"就业难"和本书其他"热点"一样让人头疼，但它本身又是本书其他热点问题的直接结果。就业涉及经济民生，甚至社会安定，从危机倒逼改革的角度看，希望"史上最难就业"能够成为倒逼教育体制、制造业升级、政府转型、技术创新等改革的契机。将它放到本书最后一章，既是对本书内容的总结梳理，也希望唤醒整个社会的危机意识。

一、大学生就业。真的这么难？

大家知道世界上参与人数最多的"四大运动"是什么吗？分别是奥运会、世界杯、中国的春运和中国的大学生招聘会。前三项大家都很熟悉了，这里我就和大家说说第四项——中国的大学生招聘会。2013 年大学毕业生有将近 700 万，创造了历史新高。签约的或者有意向签约的非常少，创造了历史新低。所以说，我们中国的大学生虽然还没有就业，但已经创造了历史。

2013 年被视为"史上最难就业年"。其实，在我听到这个所谓的"史上最难就业年"的时候，想起了干旱。某地方政府说："今年是百年不遇的干旱。"多少天呢？180 天。我心里在想，它 80 天的时候为什么不报呢？为什么等到 180 天才报呢？透过这个"干旱理论"，我是想说，有些问题一直都存在，也一直都很严重，只是当突然被曝光的时候，才发现问题已经严重到难以想象的地步。

回到"史上最难就业年"这一问题，事实果真如此吗？2013 年毕业生 699 万，2012 年 680 万，2011 年 670 万。一年增长个 10 万、20 万很正常啊！那为什么去年不难呢？为什么前年不难呢？为什么就在今年才难呢？其实年年都存在就业难的问题，只不过这种问题是在潜移默化中不断加强的，当大家突然回过头来关注它的时候，才发现它已经如此突出了，以至于用到

"最难"二字。我想请问，难道去年就不可以被称为"史上最难就业年"吗？

那么，我们的大学生到底就业有多难？我们做个比较，来看数据。根据最新的官方统计，2012 年我们有 89.6% 的大学生就业，也就是 10.4% 的大学生失业。而美国大学生的失业率是 4%，德国是全世界最好的，大学生失业率为 2%。我们大学生的失业率远远高于美国和德国。可今年情况更糟糕，截至 5 月份，北京地区大学生的签约比例还不到 30%，从数据上看，我们的大学生就业确实很难。那导致这种难的原因都是什么呢？

户口新规让就业雪上加霜。我们先来看由社科院和麦可思研究院作出的《2012 年中国大学生就业报告》，报告说，就业的大学生当中，47% 是不满意的，也就是说，有 53% 对自己的签约单位比较满意。那他们满意和不满意的究竟是什么呢？我们再找一些 2013 年的最新资料来做验证。中华英才网披露了一份资料，对 20 万大学生所作的调查结果显示，最佳的 50 家就业单位，这两年发生了重大变化。两年前，这最佳的 50 家里面有 21 家是外企。而最近，外企数量从 21 家跌到了只剩 3 家。另外的 47 家全是国企。这下明白了，53% 的人之所以比较满意，是因为找到了国企的工作。那我们或许可以说 47% 不满意，是因为他们多半没有找到国企的工作。究竟国企可以给你带来什么呢？最重要的一点就是户口。

中国是全世界唯一一个有户籍制度的国家。户口对于大学毕业生来讲非常重要。为什么这么讲？我们就拿北京来讲吧，有了户口，你才能比较容易买房、买车，子女才能享受到北京的教育，还有医疗、养老福利，而这些，

北京都是全国最好的。另外，有了户口，你就不是"北漂"一族了，自己的归属感和别人的认同感都会高很多。所以说，北京户口是很值钱的，毕业生们在找工作时非常看重是不是解决户口这一项。

对大学毕业生而言，如果不解决户口问题，那他多半会等一等，先不急着签约，一直等到找到一份可以解决户口的工作。正是这个原因，许多人哪怕手里可能已经有工作机会了，但一直拖着没有签约，这也是导致签约比例非常低的一个重要原因。那为什么今年北京的签约比例比去年低很多呢？因为北京出台了更严厉的规定（当然，按照官方的说法，这只是指导意见）：本科生必须24岁之前办户口，否则不能办了；硕士生27岁之前；博士35岁之前。就是因为这项规定，迫使更多的外地生源，为了找到有户口的工作，不得不继续等待。

体制内外，两个世界。当然，户口只是其中一个因素，因为能提供户口的政府部门、事业单位、国有企业，同时还能提供更多的东西，比如隐.陛福利、集资建房，甚至子女因为共建而能上好的学校等等。现在的大学生更聪明了，不会只盯着那么一点到手的工资来比较就业机会，大家更看重的是长远的"性价比"。

有意思的是，10多年前的状况和现在正好相反。那时候，有不少公务员都选择了下海，大学生们喜欢的工作都是在外企，或者民企。那为什么这10多年间形势来了个大逆转呢？坦白讲，这实际上是"国进民退"的一个缩影。国企不断在股市上圈钱，凭借着垄断优势躺着数钱，在发工资、发'利上出手阔绰；公务员改革倒也一直没停，但是某些部委时不时传来分房的消息还是让人眼红心动；还有事业单位，朝九晚五一年也能轻轻松松二三十万……自 2008 年金融危机以来，国家实施大规模投资计划，更是偏爱国企。在并不平等的竞争环境下，营商环境又不断恶化，民企每一步都走得艰难，所以民企员工不断跳槽进入国企，只为求得一个工作轻松、旱涝保收的"铁饭碗"。现在整个社会的潮流都是如此，那么"考公务员——进国企或事业单位——去外企、民企"这种择业顺序，也没什么不能理解的。

有人为找不着工作的大学生支：招："北京搬家，公司的工人，一个月赚五六千很正常。现在很多大学生都说找不到工作，毕业后，暂时找不到称心的工作，先干两年搬运工嘛。既锻炼了身体，又能攒一笔钱。之后继续学习，或者换工作跳槽不挺好的吗？"

难的不是就业，而是体面。前段时间爆出"农民工工资过万秒杀白领"的新闻，很多白领感叹自己读了这么多年书，挣得还不如农民工多。但是，如果真的让这些白领去做农民工，有几个人肯干呢？我们想想看，如果一个人介绍自己"我是农民工，月薪一万"，另外一个介绍说"我是 IT 男，月薪八千"，各位觉得哪个更体面呢？透过这个现象我们发现，其实整个社会已经形成了一种"标签"，我们从小接受的教育从来没有摆脱过那种"劳心者治人，劳力者治于人"的观念。我们的思维就是，前者就是应该优于后者。后者的工资一旦超过前者，大家就该埋怨了，说这是"体脑倒挂"，也就是"搞导弹的不如卖咸鸭蛋的"，不正常！

可是各位晓得吗，在美国，体力劳动者和脑力劳动者并没有这样的差别，大家不会因为是工人而不是工程师就歧视你。所以我们看到一种现象，

好多中国的年轻人跑到美国读完博士，找不到对口工作，就去做管道工或者出租车司机，赚的钱不少，活得也很舒服。但是在中国，如果你读完博士，去做管道工或者出租车司机的话，别人会怎么看你呢？

二、就业难的深层原因：制造业危机和落后的教育体制

所以说，中国大学生就业难其实是个伪问题。大学生要想随便找份工作是没有任何问题的，只不过要想找到有户口的、收入好的、体面的工作确实是个难题。比如说，现在城市里面，民工没有就业难的问题，保姆也没有就业难的问题。那为什么大学生要想找到一份适合自己学识的工作就那么难呢？对于这个问题，我们可以从劳动力市场供求两个方面来分析。

需求方面最重要的一个因素是，我们的产业结构不合理。我们天天说自己是制造业大国，其实中国完全是一个纯生产大国。产品不可能只有生产这一个环节，研发怎么办？原料怎么供应？销售怎么办？运输仓储怎么办？可见，制造业是一整条产业链，而我们只是拿到了附加值最低的一个环节，就是生产。而且中国这种制造业是最不需要大学生的。我们的工厂，从董事长开始，到门口的保安，可以不用一个大学生，它只需要组装工人。因此，我们的大学生要想找到好的工作，会非常困难。因为这些工作大部分都不在中国，很多工作机会没有被创造出来，而且更可怕的还在后面，"生产"环节在未来很可能被机器人取代。

供给方面我要谈的是教育问题，这直接关系到劳动者的知识技能能否和大多数职位相匹配。中国大学生就业难，还有一个原因，就是学校所教的知识跟社会所需要的严重脱节。很多人发现，即使幸运地找到了"专业对口"的工作，自己在学校学到的知识也用不上。这其实就是教育和就业的脱节。而且，我们的教育部门也在有意地将就业的压力往后移。比如说，本科生找不到工作，可以去读研；研究生找不到工作，可以去读博；博士生找不到工作，可以去读博士后。说到博士后，我在此要多说几句。什么叫博士后？我在美国念博士的时候发现，那些找不到工作的人，才读博士后。一个人去读博士后，只会被认为水平不行、专业不行。所以，在美国的时候，我对博士后的印象就是——真是好惨！到了内地我却发现，博士后不但光宗耀祖，而且还成了一种学历。甚至在北京，博士后毕业后可以立刻拿到户口。这真是太荒谬了。所以我发现，我们的教育体制与世界其他地方相比，简直是严重脱节。

各位是不是觉得我这是在宣扬"读书无用论"。其实，我只想给大家一个当头棒喝。因为我们的社会舆论已经严重地夸大了学历的价值。各位不觉得我们需要一些不同的声音吗？在这些不同的声音里，让你们自己作定夺不是更好吗？你可能觉得，"郎教授，你有点过分。我天天告诉我的小孩要念好书，甚至要念个博士、博士后。结果，你竟然公开宣扬'读书无用论'，那郎教授你为什么还要念博士呢？"其实，我从来没有说过"读书无用论"，我只是把我看到的告诉你，你自己来作思考。诺贝尔奖得主克鲁格曼写了一篇博文，他说根据他所搜集的资料显示，大学生，甚至更高的学历，其附加

价值是越来越低，甚至会出现零增长。我把这话转达给各位，让各位自己作思考。我自己则不作定论。

三、全球自动化的开始是更可怕的"干旱"

告诉各位，有一个更加可怕的"新的干旱"正在酝酿。我想借此，告诉我们的政府要早作准备：全球自动化的风潮已经开始了。我们过去都是工人在组装产品，而现在，机器人正在取代工人，而且这是一个全球趋势。

我们回顾经济发展史，第一次工业革命采用机器化大生产，并代替了手工制造。当时的工业革命并没有导致一个大量失业的现象。以前赶马车的人，由于蒸汽机车的出现，他可能去造火车、去当列车员。但大家要记住，第一次工业革命，是让资本更有效率地拉抬个人生产力。那你的薪水怎么定呢？就是你的生产力。所以劳动者是受惠于这场革命的。但这次全面自动化的工业革命是不一样的，它直接就是用生产力来取代你，而不是提升你的生产力。取代你之后，你的薪水就是零。

比如富士康，它已经有两万台机器人，而且一年之内要增加到 30 万台，三年之内要增加到 100 万台，足足可以淘汰 100 万名工人。机器人有什么好处呢？全年无休，一天工作 24 小时，既不需要上网，也不需要空调。而且对郭台铭来说，它们还不会自杀。但是，大家不要以为富士康之类的企业，正在用机器人取代的只是蓝领工人，因为它还将取代一些白领人士。我们收集了大量资料，看了以后感到恐惧。以美国为例，从金融海啸到现在，为了推动自动化，美国企业购买软件、硬件的投入增加了 26%；而人工成本，则是零增长或负增长。这说明机器取代人的行为早已经开始了！而且根据美国商务部的数据，2013 年是美国 50 年来企业利润占 GDP 比重最高的一年，但同时也是 50 年来美国就业人口的薪水占 GDP 比重最低的一年。这太可怕了！还有一个数据，美国经济复苏之后，美国大学生的工资水平却下降了 5%。为什么？因为企业不需要他们了。

医生、律师之类的白领也受到全球自动化的影响。举个例子，比如放射科的医生，专业训练 13 年，年薪在 30 万—50 万美金，甚至更高。最近美国研发出了一个叫模式识别系统的软件，可以取代放射科医生，而成本只有他年薪的 1%。律师呢？过去打一个大官司，需要好几个律师，甚至十几个律师。因为他们要调阅上百万份的文件。根据 2011 年《纽约时报》的报道，有一款新的软件，叫作"黑石发现"，英文是"Blackstone Discovery"，可以取代律师搜集资料的工作。一个律师使用这个软件，就可以抵得上 500 个律师。而且研究还发现，手工查阅资料的错误很多，其准确率只是这个软件的 60% 而已。其实，各行各业的白领都在逐渐被取代。白领在美国是一个从金融海啸之后，急速恶化的工种。也就是说，学历高，其附加价值并不会等而上之，不会跟着上升。而且这一现象，正是"干旱时代"的开始。而"干旱"终将从欧美传到中国。

告诉各位，不要为今天看到的数据感到震撼，其实再过几年你会发现，失业说不定是一个永久性的失业。因为，自动化带来的软硬件已经把我们完

全取代掉了。这种时候，我请问你，你怎么办？所以不论是个人也好，政府也好，都要在这方面尽早作准备，避免第二次"干旱"的来临。这才是真正解决大学生失业问题的一个前瞻性的做法。

在此我还要指出中国经济学界，存在的一个严重的误区。一些经济学家说，中国的人口红利正在消失，年轻劳动力将供给不足，因此应该放开独生子女政策。对这种观点我感到非常震惊，也非常悲哀。因为今天的危机，不是人口红利的危机，而是自动化带来的危机。认为可以透过增加人口来推动中国经济的发展，这种想法，你不认为是"开倒车"吗？人口红利这一说法是对的，但只在过去是对的。展望未来，我们应该思考"人口红利的2.0版"。这才是每一位负责任的学者应该思考的命题，而不是抱定一个简单的推论，抱定这一理论的经济学家完全缺乏对整个大环境的了解。

四、透过美国经验，学会如何在逆境中成长

30年前，潘晓曾有著名的提问："人生的路为什么越走越窄？"30年之后，微博上著名的"作业本"同样给了一句话，"人生的路还是越走越窄"。今天，阶层的板结、固化，上升通道的狭窄，让我们有个担心——世袭贫穷。

这样的担心从根子上说就是教育体制的问题，我们培养出那么多找不到工作的毕业生，我们难道不该反省一下吗？是教育的不合格，造成了大学生

集了大量资料，看了以后感到恐惧。以美国为例，从金融海啸到现在，为了推动自动化，美国企业购买软件、硬件的投入增加了 26%；而人工成本，则是零增长或负增长。这说明机器取代人的行为早已经开始了！而且根据美国商务部的数据，2013 年是美国 50 年来企业利润占 GDP 比重最高的一年，但同时也是 50 年来美国就业人口的薪水占 GDP 比重最低的一年。这太可怕了！还有一个数据，美国经济复苏之后，美国大学生的工资水平却下降了5%。为什么？因为企业不需要他们了。

医生、律师之类的白领也受到全球自动化的影响。举个例子，比如放射科的医生，专业训练 13 年，年薪在 30 万－50 万美金，甚至更高。最近美国研发出了一个叫模式识别系统的软件，可以取代放射科医生，而成本只有他年薪的 1%。律师呢？过去打一个大官司，需要好几个律师，甚至十几个律师。因为他们要调阅上百万份的文件。根据 2011 年《纽约时报》的报道，有一款新的软件，叫作"黑石发现"，英文是"Blackstone Discovery"，可以取代律师搜集资料的工作。一个律师使用这个软件，就可以抵得上 500 个律师。而且研究还发现，手工查阅资料的错误很多，其准确率只是这个软件的60%而已。其实，各行各业的白领都在逐渐被取代。白领在美国是一个从金融海啸之后，急速恶化的工种。也就是说，学历高，其附加价值并不会等而上之，不会跟着上升。而且这一现象，正是"干旱时代"的开始。而"干旱"终将从欧美传到中国。

告诉各位，不要为今天看到的数据感到震撼，其实再过几年你会发现，失业说不定是一个永久性的失业。因为，自动化带来的软硬件已经把我们完

全取代掉了。这种时候，我请问你，你怎么办？所以不论是个人也好，政府也好，都要在这方面尽早作准备，避免第二次"干旱"的来临。这才是真正解决大学生失业问题的一个前瞻性的做法。

在此我还要指出中国经济学界，存在的一个严重的误区。一些经济学家说，中国的人口红利正在消失，年轻劳动力将供给不足，因此应该放开独生子女政策。对这种观点我感到非常震惊，也非常悲哀。因为今天的危机，不是人口红利的危机，而是自动化带来的危机。认为可以透过增加人口来推动中国经济的发展，这种想法，你不认为是"开倒车"吗？人口红利这一说法是对的，但只在过去是对的。展望未来，我们应该思考"人口红利的2.0版"。这才是每一位负责任的学者应该思考的命题，而不是抱定一个简单的推论，抱定这一理论的经济学家完全缺乏对整个大环境的了解。

四、透过美国经验，学会如何在逆境中成长

30年前，潘晓曾有著名的提问："人生的路为什么越走越窄？"30年之后，微博上著名的"作业本"同样给了一句话，"人生的路还是越走越窄"。今天，阶层的板结、固化，上升通道的狭窄，让我们有个担心——世袭贫穷。

这样的担心从根子上说就是教育体制的问题，我们培养出那么多找不到工作的毕业生，我们难道不该反省一下吗？是教育的不合格，造成了大学生

举步维艰，四处碰壁。要改掉大学教育的积弊，我们不妨借鉴一下美国的经验。

想学什么，学生自己说了算。我觉得美国教育最可贵的一点，就是赋予学生极大的自主性，让学生可以盯住市场，随时调整自己，把自己培养成企业需要的人才。首先，不像我们中国有本科四年的硬性规定，美国大学生的学习年限是由自己来决定的，他们可以根据自己的情况和市场行情，工作一段时间，再学习一段时间，或者边工作边读书，只要完成学分就可以毕业。其次，在专业选择上，也有很大的灵活性。美国学生在进大学的时候不需要选专业，到大二大三才选，他们会先了解一下市场，并看看自己的能力和兴趣，之后再决定专业。而且他们换专业或者转学，都不受"统一教学计划"的约束，学分可以转到新的专业或是学校。甚至美国学生从社区型大学毕业两年后想继续去念研究型大学的本科专业，都是非常方便的。

相比之下，我们中国的大学教育，从一开始就不对路了。绝大多数人在填报志愿的时候，对自己选的专业根本就是一头雾水，只有一个朦朦胧胧的概念。等接触到这个专业发现自己不喜欢的时候，可以转系吗？你不晓得转系有多难！因为每个系的资源都是根据学生人数定的，如果这些学生都转系了，那系里的教授还怎么混？然后，就是把学生圈在学校里养，即使不是与世隔绝，也是和社会严重脱节的。学生根本感知不到外头行情的变化，就算知道了，也不可能在学业上作出调整，因为课程都是死的，充其量也就是考几个据说对找工作有用的证，要不就是挤时间去企业实习。

所以说，我们的整个教育系统是僵化的，没有与时俱进。我建议学校把

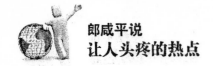
更多的选择权还给学生，放手让学生来决定自己的路。然后，让每个人学会为自己的人生负责。

通识教育，培养通用型人才。通识教育，是美国大学本科教育的重要传统，几乎所有大学都在大学低年级实施通识教育。什么是通识呢？就是每个受过教育的人，都应当具有的基本素养，包括人文素养和科学素养。那为什么要开通识课呢？就是因为校方考虑到了万一你从学校出来，专业不对口怎么办，所以我先给你把底子打好，这样真正发现专业不对口的时候，你还可以在这个基础上迅速学习新的专业。

各位千万不要以为这就是我们中国学生在大一的时候，修的马克思主义哲学或者思想品德修养之类的课程。美国的通识教育涵盖了语文、文学、写作、人文、数学、社会科学、自然科学这7大学科，不管你以后想学什么，头两年这7个学科都是必须要选修的。比如麻省理工学院（MIT）就规定，主修理工科的学生必须学习人文、艺术和社会科学方面的8门课程，共72学分，约占学士学位课程总量的20%，主修文科的学生必须学习占学位课程16.5%的自然科学课程。而且除了专业课，学生还必须学一门外语及通晓别国文化。透过这种方式培养出来的学生，眼界更开阔，看问题的视角更全面，并且能更胜任将来的工作。可我们呢，大多数学生，学文的不懂理，学理的不懂文，思考非常有局限性，未来的就业空间自然就很窄了。

手把手教会学生创业。为了应对就业难，我们的人力资源和社会保障部门也没少出台帮扶大学生创业的各项措施。但是我们发现，教育和创业之间的鸿沟就是跨不过去，大学生不管是在心态上，还是在技能上，都和创业要求差很远。这是因为我们的大学还没有来得及教给学生创业知识，就直接把他们往市场上推。而这正是美国大学教育中另一个可贵的地方。

在过去的20多年中，创业学是美国大学，尤其是商学院和工程学院发展最快的学科领域。我在美国的时候，就已经有1600多所高校开设了创业学课程，它们的创业教育在教研体系上是相当完善的。还拿麻省理工学院举例子，它的创业教育做得非常好。它有一个创业教育中心，向所有的学生提供十几门课程，包括新企业家、创业实验室、企业市场、企业财务、新经济时代的企业等等，而且教学方法可不是死记硬背，而是以案例研究为主的。

美国大学不仅重视创业理论，还很重视对大学生创业精神和实践能力的培养。他们鼓励学生在校期间参加各种创业活动，学校还经常举办学生创业策划竞赛，然后请企业、商业与风险投资领域的专业人士进行评比，优胜者可以获得奖金。这种教育最直接的成果，就是大学生利用自己的科研成果在学校里或学校周围办企业，推动了美国新产业的诞生。其中最负盛名的就是以MIT为中心的硅谷。很多学生都在这里得到了创业、工作、实习的机会。据MIT统计，自1990年以来，它们学校的毕业生平均每年创建150多个新公司，自主创业成了学生就业的重要出路。

除了借鉴美国教育的具体方法外，我们还要加快产业结构的调整，放开对民间力量办教育的限制，根据社会需求，重新定位精英教育与职业教育的比重等等。当然，对教育的改革，三五年乃至十来年都未必能见成效，那未来五年的最难就业季，大学生们该怎么办呢？可能有人会说，微软的比尔·盖茨、保罗·艾伦，甲骨文的埃里森，戴尔公司的戴尔，都是退了学之后，

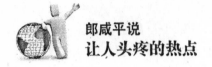
才打造出自己的商业帝国，大家干脆趁早退学算了。其实退不退学不重要，强大自己才是硬道理。比如说北大中文系的陆步轩，他的专业是中文系，却利用业余时间学会了卖猪肉；比如说清华大学的李健，他的专业是电子工程，可他在业余时间学会了音乐，组建了"水木年华"。这些故事雄辩地告诉了我们，为什么机会总偏爱那些"不务正业"的人！所以，我也想告诉那些即将毕业的许多大学生，不妨把视野放宽一点，因为在跨界的时候，说不定你能够收获很多的机会。这也是没有办法的办法！

其实，大学生就业难的问题，还有更多深层次的原因，以上我只在几个方面做了分析。最后，我再给各位梳理一下我的观点——造成"史上最难就业年"的，有户口新规、"要面子不要里子"的传统就业观念等因素，但深层次的原因则是我们的制造业，一直处于产业链的最低端，可是我们落后的教育体制又和现实需求严重脱节。另外，全球自动化的浪潮来袭，"就业"在未来一段时间内恐怕会难上加难。所以，应对就业难，我们既要亡羊补牢，改变落后就业观念，推动教育体制改革和制造业转型升级；更要未雨绸缪，做好应对全球自动化冲击的准备。